楽しくはじめよう!

Nゲージ入門ブック

楽しくはじめよう!

Nゲージ入門ブック

CONTENTS

※発売されたNゲージのモデルはすべて在庫があるとは限らないので、
ほしいモデルがある場合は販売店に在庫を確認して下さい。
※本書は小社刊「エヌ」に掲載した記事を再構成しまとめたものです。

ジャンル別に知ろう

Nゲー

Nゲージを手に入れて、一番の楽しみは走らせること。
そこで車両のカテゴリーごとに、線路パターンや編成の考え方を伝授。
自分らしい楽しみ方を見つけてみよう。

文◎児山 計　写真◎金盛正樹(特記以外)

ジの走らせ方

最初に知っておきたい基本知識

これから鉄道模型をはじめようと模型店に出かけると、ショーケースには車両や線路がいっぱい。どれを買えばいいのかを知ることが、Nゲージをスタートする第一歩だ。

最初にそろえるもの

鉄道模型をはじめるなら車両・線路・コントローラーの3つが必要。とくに線路は用途に合わせてさまざまな種類があるので、どれを買ったらいいかわからないという人は、これらがセットになった基本セットがお勧め。

（TOMIX、KATOの基本セットラインナップなどについては81ページ、85ページを参照）

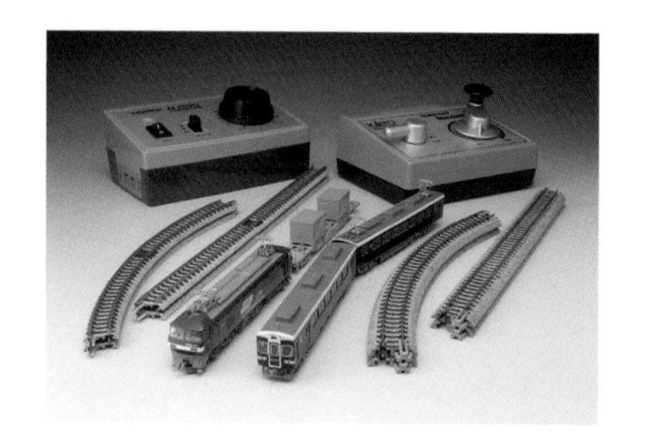

レールと車両の関係

日本のNゲージで線路を発売しているのはKATOとTOMIXの2社。それぞれ線路の規格が独自になっていて、長さやカーブの半径が微妙に異なっている。走らせる車両の種類に応じて、長さや半径を選ぼう。

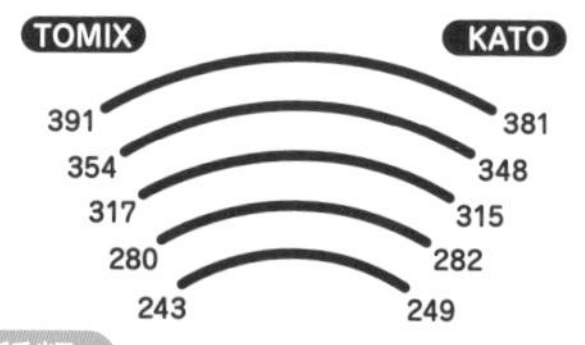

レールと車両の関係

KATO
248mm直線線路に車両をのせてみよう！

KATOの『ユニトラック』は248mm長の直線線路を基準に、半分の長さの124mm、さらに半分の62mmなどを用意。このほか3／4の長さの158mm、ポイント用の64mmといった線路もある。

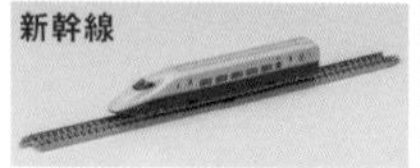

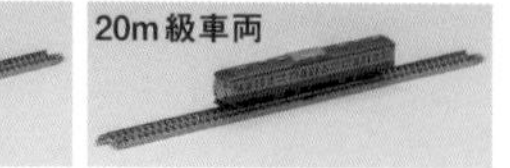

TOMIX
280mm直線に車両をのせてみよう！

TOMIXの『ファイントラック』は280mm長の直線線路を基準に、半分の長さの140mm、さらに半分の70mmのほか、調整用に72.5mm、99mm、158.5mmなどがある。

カーブ線路の種類

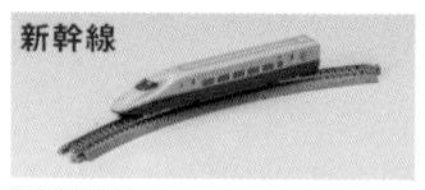

KATO
基本の315mm曲線に車両をのせてみよう！

KATOの『ユニトラック』は半径216mm・249mm・282mm・315mm・348mmと33mm間隔でそろえられている。

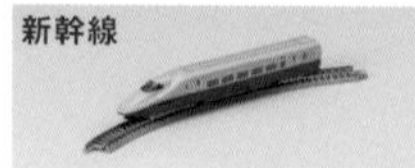

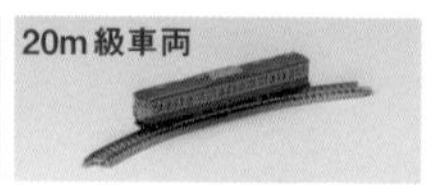

TOMIX
基本の280mm曲線に車両をのせてみよう！

TOMIXの『ファイントラック』は半径243mm・280mm・317mm・354mm・391mmと37mm間隔でそろえられている。

TOMIX KATO

レールを拡張しよう

基本セットに含まれるレールで構築できるのは楕円形のエンドレス。そこにさまざまなパターンのレールを加えることでバリエーションが広がる。主なレールセットのパターンを紹介しよう。

レールセット 引込み線セット

手動ポイントで引き込み線や待避線をつくれる。(91025/¥5,280)

レールセット 待避線セットⅡ

電動ポイントで引き込み線や待避線をつくれる。(91026/¥8,360)

レールセット 複線化セット

基本のエンドレスをダブルクロスポイント入りで複線化。(91064/¥10,780)

レールセット カーブポイントセットⅡ

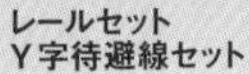

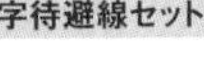

電動カーブポイントで待避線をつくれる。(91095/¥10,780)

レールセット Y字待避線セット

単線での列車交換用待避線をつくれる。(91069/¥9,020)

レールセット 複線化すれ違いセット

PC枕木のレールで複線をつくれる。(91028/¥4,180)

カント付レール 基本セット

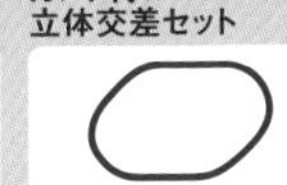

ワイドPCレールで変形小判型エンドレスをつくれる。(91011/¥4,730)

カント付レール 立体交差セット

ワイドPCレールで立体交差へ発展させるセット。(91013/¥10,890)

高架複線 基本セット

高架複線でエンドレスを組むためのセット。(91042/¥17,600)

高架複線 立体交差セット

勾配橋脚入りで地上の複線とつなげられる。(91074/¥16,500)

高架複線 スラブ大円セット

スラブレールで高架複線のエンドレスをつくれる。(91079/¥15,180)

V1 島式ホーム用待避線電動ポイントセット

島式ホームや待避線を設置できるようになる。(20-860/¥7,150)

V2 立体交差線路セット

単線トラス鉄橋入りの高架線路。(20-861/¥9,350)

V3 車庫用引込線電動ポイントセット

本線から分岐したヤードや留置線を設置できる。(20-862/¥11,000)

V4 対向式ホーム用行違線小形電動ポイントセット

単線の交換駅や信号所などを設置する。(20-863/¥8,800)

V5 内側複線用エンドレスセット

基本セットのエンドレス内側に複線用エンドレスを設置。(20-864/¥3,850)

V6 外側複線用エンドレスセット

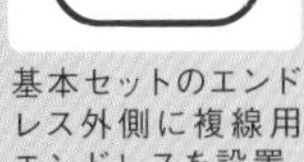

基本セットのエンドレス外側に複線用エンドレスを設置。(20-865/¥3,960)

V11 複線線路セット

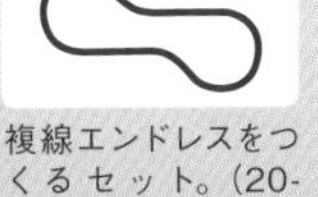

複線エンドレスをつくるセット。(20-870/¥13,750)

V12 複線立体交差セット

複線線路で立体交差をつくれる。(20-871/¥18,920)

V13 複線高架線路セット

高架の複線エンドレスをつくるセット。(20-872/¥17,600)

V14 内側複線線路セット

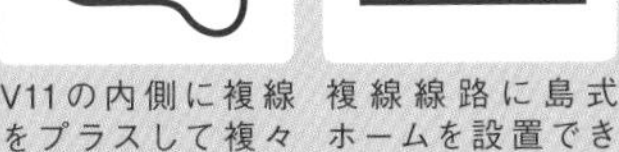

V11の内側に複線をプラスして複々線にできる。(20-873/¥13,200)

V15 複線駅構内線路セット

複線線路に島式ホームを設置できる。(20-874/¥4,730)

V16 外側複線線路セット

V11の外側に複線をプラスして複々線にできる。(20-876/¥14,850)

V17 複線スラブ軌道線路セット

スラブ軌道の複線線路のセット。(20-877/¥8,800)

他メーカーの車両も走る？

Nゲージ鉄道模型は線路幅9mmと世界中で決められているので、線路のメーカーと車両のメーカーが異なっても運転可能。たとえばTOMIXの線路でマイクロエースの車両を走らせてもOK。一方、線路はメーカーが異なるとつながらないので注意しよう。

グリーンマックスの車両

マイクロエースの車両

右がKATOの『ユニトラック』、左がTOMIXの『ファイントラック』。外観は違うがどちらも線路幅は9mmだ。

在来線を走らせる

同じ在来線でも幹線とローカル線では雰囲気が異なっている。それぞれの事情にあった線路を選んで走らせてみたい。

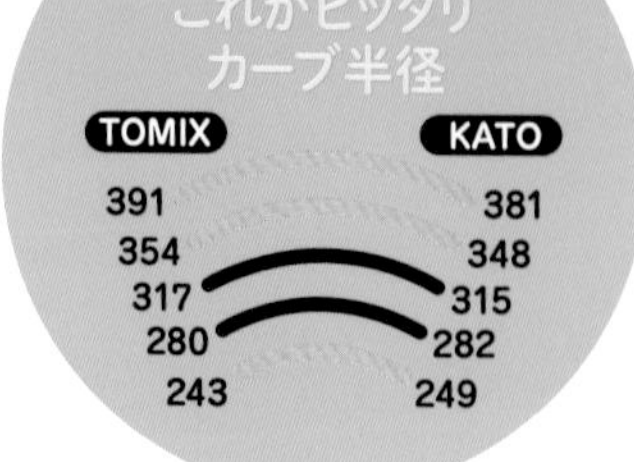

直線主体で曲線は緩く

国鉄／JRの在来線には貨物列車から特急・ジョイフルトレインまでさまざまな車両が走る。大都市近郊の長編成列車を楽しむか2両編成くらいのローカル列車を楽しむかでも雰囲気は大きく変わってくる。

このジャンルなら直線主体の比較的ゆったりしたプランで走らせたい。一部路線を除き、国鉄／JRの路線は直線主体の線形をとることが多い。カーブ線路の半径もR280以上、できればR315以上にして、直線も可能な限り長く取りたいところだ。たとえば気動車1両の編成でも、直線を長く、カーブをゆるく取ったレイアウトだと北海道の雄大な風景をイメージできるのだ。

往年の国鉄列車や大都市の通勤電車のような長い編成を走らせるときも、直線区間をしっかりと確保したい。目安は編成がすべて直線線路に乗る程度と考えてほしい。10両編成なら1.5mの直線区間になる。

編成を考えながら購入しよう

スターターセットやベーシックセット、車両の基本セットには、3～4両の車両が入っている。実車にならって車両を追加する場合、自分が遊べるスペースと編成のバランスを考える必要がある。

たとえば直線線路が6両分程度しか確保できないのであれば、いきなりフル編成をそろえるのではなく、6両程度になる増結セットを選んでレイアウトの規模に合わせた長さで楽しみたい。

線路とのバランスを考えながら編成を伸ばさないと、たとえ編成は実車どおりでも走っている姿がとても窮屈に感じ、かえってリアリティを損ねてしまうこともあるのだ。

実車をよく観察して、自分なりの編成を組むのも、鉄道模型の楽しみのひとつだ。

さまざまな型式の車両で遊べるのがこのジャンル。右からキハ120●TOMIX、313系●KATO、455系●TOMIX

気動車

現在の気動車は特急用でも2～6両程度でまとまるものが多いので、短編成で運転が楽しめるのが魅力。カーブもローカル線なら比較的きついカーブを使っても違和感はない。

通勤・近郊型

ダイナミックな長編成こそが通勤・近郊型の肝だが、線路の規模が基本セットのままでは興ざめ。直線上に編成が収まる長さを考えながらレイアウトとともに編成を成長させよう。

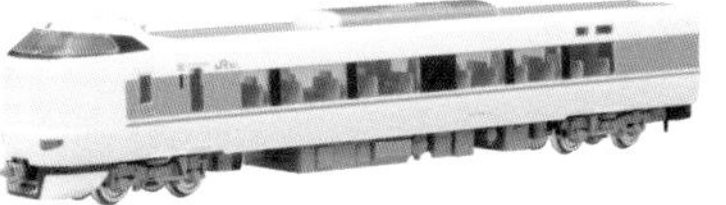

特急型

特急列車も最近は2～3両編成のものも多く、通勤型よりは狭いスペースで楽しめる。それでも特急ならではの高速運転の雰囲気を楽しむならカーブは緩く、直線は長くが基本。

機関車牽引であそぶ

国鉄／JRには電車・気動車だけでなく機関車牽引の列車も走っている。この場合は機関車＋客車もしくは貨車の組み合わせとなるが、機関車の中にはEF510のように客車、貨車両方を牽引した編成もあるので、そういった機関車で客車と貨車を付け替えて遊ぶのも楽しい。

＋

機関車牽引の列車として真っ先に思い浮かぶのがブルートレイン。EF65 500番台、20系●ともにKATO

＋

客車列車の牽引で使いたいのがEF62。それぞれの列車に合わせた客車セットも発売されている。EF62前期型、10系寝台急行『妙高』●ともにKATO

複線レールを楽しむ

国鉄／JRの幹線を楽しむなら複線で2列車走らせるのもいいだろう。複線を組む際にも専用のレールセットがKATOからもTOMIXからも発売されている。また、基本セットに線路を加えることで複線をつくれるセットも発売されているので、無駄なく拡張できるのだ。

すれ違い運転でよりリアルな鉄道シーンを再現。EF65、E233系●ともにKATO

これなら満足

おすすめプラン

国鉄／JRの車両であれば、やはりゆったりとした直線とゆるいカーブで楽しみたい。加えて特急と普通、貨物列車と客車のつなぎ替えなどを考えた、ポイントをうまく使ったプランをつくってみたい。

エンドレスに入れ違い設備をつけたプラン。たたみ1枚分のスペースだと4両編成程度が交換できる。直線部分は余裕をとりカーブはR280以上を使いたい。

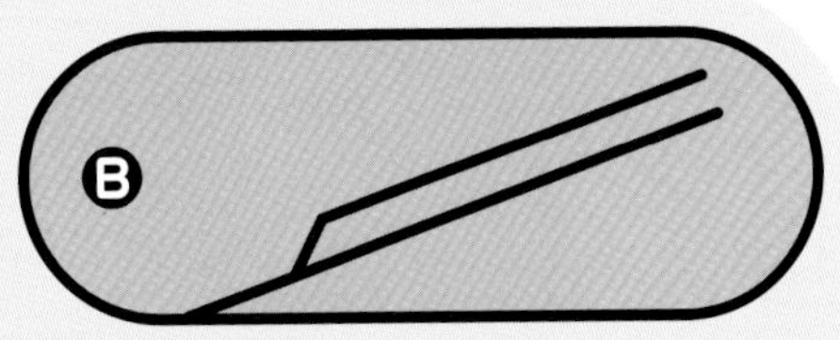

エンドレス内の引込み線に貨車と客車を止めて、機関車を付け替えて楽しめるプラン。引込み線に貨車を押し込むときはゆっくり走らせるとそれらしくなる。

蒸気機関車を遊ぶ

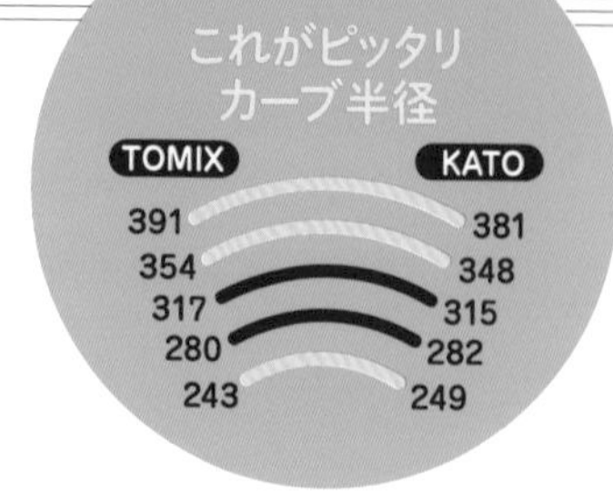

**かつて全国を走った蒸気機関車全盛の時代、
そして復活蒸機が走る現在。
さまざまなシチュエーションで走らせられる楽しみがある。**

蒸機=昔ではない

蒸気機関車モデルは近年ラインナップが増え、入手も容易になってきたことから以前にくらべずっと敷居の下がったジャンルだ。

さて、蒸気機関車列車というと「昔の風景」と短絡的に考えてしまいがちだが、現在日本各地で蒸気機関車が復活運転をしていることからわかるように「現代の風景」をつくることだって不可能ではない。奥羽本線ではE6系とD51が並んで走ったこともあるし、東武鉄道なら『スペーシア』とC11が並ぶ姿も見られる。蒸気機関車=昔のものという思い込みは捨てて、柔軟に蒸機ワールドを楽しんでほしい。

貨物から名列車まで

旧型客車や往年の名列車を再現した世界も捨てがたい魅力がある。その際はぜひ、ホームや建物も木造建築やモルタルづくりのものを選んで並べてほしい。腕木式信号機といったアクセサリーも雰囲気を盛り上げてくれる。

形式による組み合わせ

蒸気機関車は形式ごとに牽引する目的がおおむね決まっており、それにふさわしい組み合わせがある。ここでは旅客用機関車における昔と今の定番ともいえる組み合わせを紹介しよう。

C62+『つばめ』

**KATOのスハ44『つばめ』と組み合わせるならC62。
往年の東海道本線を再現できる。**

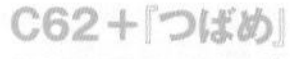

C62東海道形、スハ44つばめ●KATO

C57 1『SLやまぐち』

レトロ風客車の5両編成。12系6連でデビュー当時の編成を組んでもいいだろう。

C57 1、12系客車やまぐち号●TOMIX

C62+『ニセコ』

晩年のC62が重連で活躍したことで有名な『ニセコ』も車両セットが発売されている。

C62北海道形、急行ニセコ●KATO

C57 180+『SLばんえつ物語』

現代の蒸機列車の代表。展望車や中間のラウンジカーなど編成もユニーク。

C57 180、12系ばんえつ物語(オコジョ展望車)●TOMIX

現役で走る蒸機モデル

いろいろなシチュエーションで走らせられるのが復活蒸機。

D51 498●KATO

C61 20●TOMIX

また、TOMIXの線路では木枕木とPC枕木を選べるが、蒸機ならやはり木枕木を選びたい。

蒸機には小型から大型までさまざまな種類があり、それにふさわしい編成がある。C62やC59なら大幹線を走る長編成の急行列車が似合うし、小さなレイアウトならC12が車掌車1両を牽引するミニ編成なんてのもありだ。一応C型は旅客用、D型は貨物用という区分がないわけでもないが、その辺は深くこだわらなくてもよい。

複数の蒸機を所有しているならぜひレイアウトに組み込みたい。●KATO

蒸気機関車ならではの施設といえばターンテーブル。扇形機関庫とあわせて機関庫のセクションをつくれば、入換だけでもかなり楽しめる。KATO、TOMIXの両メーカーから発売されており、配線・組み込みも容易だ。

ストラクチャーを活用

往年の蒸気機関車を楽しむならストラクチャーの選択もこだわりたい。木造駅舎やレンガ造りの機関庫などがよく似合う。また、ホームもあまり近代的ではないものを選びたい。

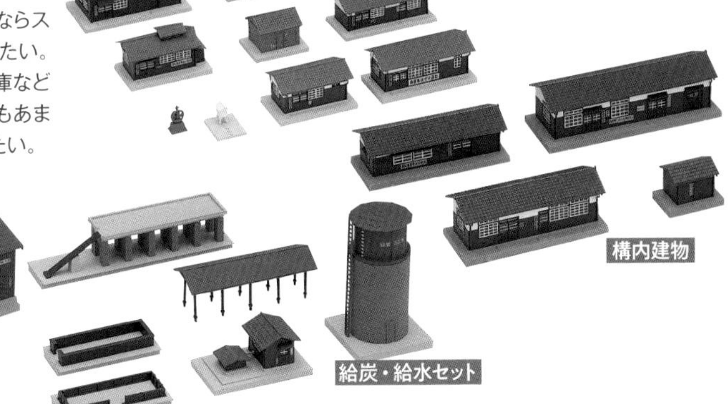

これなら満足 おすすめプラン

蒸機列車を遊ぶなら車両の組み換えを前提にしたレイアウトを組んでみよう。(A)は貨車を取り替えるプラン、(B)はターンテーブルで機関車を取り替えるプランだ。

A

昔の列車は駅ごとに貨車をつなぎ変えて運行していた。左の短い側線に貨車を1～2両配置し、列車到着ごとに機関車を切り離して入換をしてみよう。

機関車を複数持っているならターンテーブルで機関車を取り替えて遊ぼう。本線上に列車を止めて、機関車だけ車庫に入って新しい機関車に付け替えるのだ。

私鉄を“らしく”走らせよう

大きな半径のカーブや長い直線がメインの国鉄／JRにくらべると、連続する小さなカーブや短い直線が特徴の私鉄。“らしく”遊ぶための基本を押さえよう。

これがピッタリ
カーブ半径

TOMIX	KATO
391	381
354	348
317	315
280	282
243	249

曲線を上手く使おう

私鉄は沿線の住宅街をこまめに結んで路線を形成する傾向がある。そのためカーブが多く駅設備も簡素で小ぢんまりしていることが多い。鉄道模型でもそういった雰囲気を出すことで、私鉄らしさが強調される。

たとえば、基本セットのエンドレスの片方をS字カーブにして、両側に建物などのストラクチャーを置くと“らしく”なる。カーブの途中に駅が設置されるケースもあるので、国鉄／JRのときのように必ずしも編成全体が直線に入る必要はない。

またR216～R243といった、国鉄／JRのときよりもきつい曲線線路を使ってみてもいいだろう。ただし、車両によって急カーブを曲がりきれない場合もあるので、購入時に注意が必要だ。

編成も長短さまざまで、大手私鉄でも2両編成で走る電車は珍しくないし、一方で10両編成が雁行する路線もある。

駅の雰囲気も違う

長い歴史を誇る電鉄の中間駅なら、高速で走る通過列車の見通しを考えた設計として、ホームは対向式にしたいところだ。

逆に高度成長時代以降に開業したニュータウン鉄道なら、建設費の圧縮を考えて島式ホームにすると似合う。駅舎もコンクリート製のサッパリしたものがいいだろう。

そして、私鉄ならではの風景としてターミナルをつくってみるのもおもしろい。エンドレスから線路を1本延ばして、終点をつくるのだ。ホームの先端には自社のデパートを配置したい。

同じ電車でも、JRと私鉄では雰囲気ががらりと変わる。それぞれの特徴を生かして、JR線と私鉄線を同時に楽しんでみてもいいだろう。JR線のホームの端から、急カーブで分岐する私鉄線なんてのは雰囲気もバッチリだ。

相互乗り入れ

大都市では他の鉄道と相互乗り入れをおこなっている。ひとつの線路にさまざまな会社の車両が入線する楽しさは、実車も模型も変わらない。モデルの世界でも乗り入れする他社の車両を集めながらコレクションを発展させてみてはどうだろう。

小田急・東京メトロ・JR常磐線の3社直通運転。モデルでもこの乗り入れシーンを再現できる。小田急4000形●TOMIX、東京メトロ16000系●KATO、E233系2000番台●TOMIX

ターミナルをつくろう！

私鉄の象徴といえばターミナル。阪急梅田駅のようなくし型ホームと百貨店の組み合わせが思い浮かぶ。エンドレスレイアウトからの脱却パターンのひとつとして、ターミナルはお勧め。

阪急6000系、阪急9000系●ともにKATO

私鉄の貨物列車

現在でも秩父鉄道・三岐鉄道などは貨物営業をおこなっており、模型でも製品が発売されている。これらの貨物列車はセメントやフライアッシュなど運ぶものが決まっているため、同じ形式の貨車を連ねると、私鉄貨物列車の「編成美」を楽しめる。

また、かつて貨物輸送をおこなっていた私鉄の機関車も模型化されているので、これらを使えば懐かしい情景の再現も可能だ。

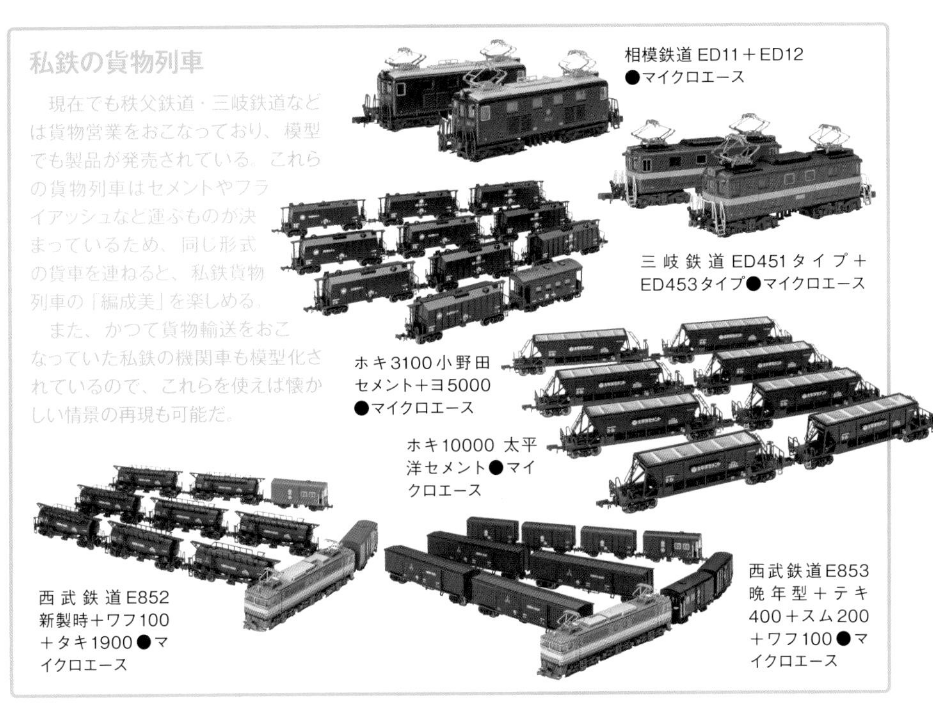

相模鉄道 ED11＋ED12●マイクロエース

三岐鉄道 ED451タイプ＋ED453タイプ●マイクロエース

ホキ3100小野田セメント＋ヨ5000●マイクロエース

ホキ10000 太平洋セメント●マイクロエース

西武鉄道E852新製時＋ワフ100＋タキ1900●マイクロエース

西武鉄道E853晩年型＋テキ400＋スム200＋ワフ100●マイクロエース

これなら満足 おすすめプラン

私鉄の線路を演出するならカーブかターミナルのいずれかを取り入れたい。また、ゆるいカーブのエンドレスにJRの車両を走らせて、内側にきついカーブで構成した私鉄の線路を敷くというのも雰囲気が出る。

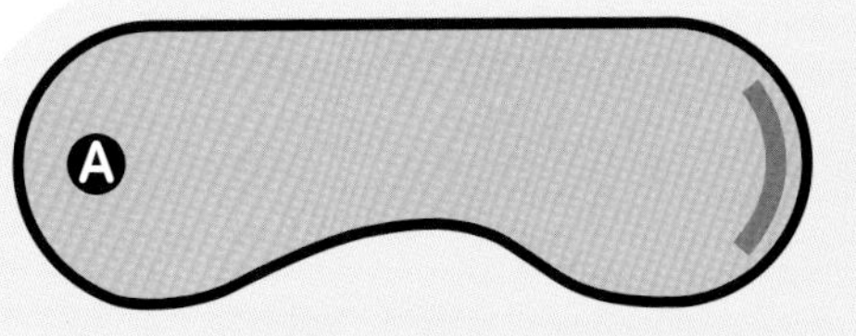

エンドレスの一部をカーブにして、電鉄風の線形を再現。まわりに民家や商店を置くとさらに効果的だ。あえてホームを曲線区間に配置してもいいだろう。

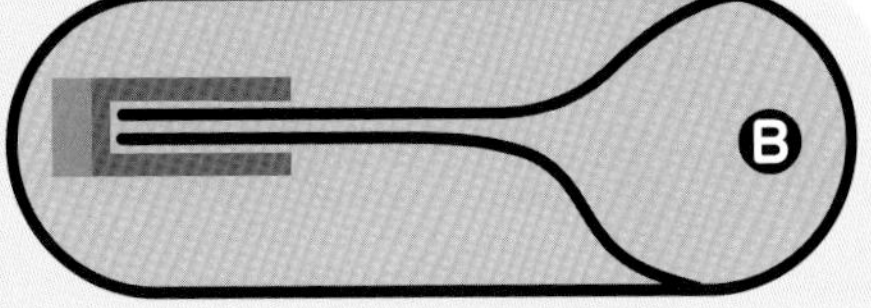

ターミナルの存在は私鉄らしい雰囲気を高めてくれる。図のようにエンドレスと組み合わせれば、長距離運転とターミナルの両方を味わえる。

自分の鉄道を自由

自在にデザインしよう！

ゆったり遊ぶ新幹線

これがピッタリ
カーブ半径

TOMIX	KATO
391	381
354	348
317	315
280	282
243	249

入門セットでも人気の新幹線。だが、本物らしい長編成や高架線の走行シーンを再現しようとするとハードルが高い。新幹線を"らしく"遊ぶために工夫してみよう。

ゆったりした複線で楽しもう

子どもから大人まで幅広い人気を獲得している新幹線。入門セットでも新幹線のセットがいちばん多いことからもその人気のほどがわかる。

新幹線をそれらしく楽しむなら、やはりカーブはできるだけゆるくしたい。KATOの入門セットはR315の線路の採用だが、可能ならそれよりもさらにゆるいカーブを使いたい。また、フル規格の新幹線は全区間が複線だ。

東北・上越新幹線の車両を走らせるなら線路の表情にもこだわりたい。お勧めはコンクリートの路盤になった「スラブ軌道」と呼ばれる線路。砂利がまったくない近代的な線路は、新幹線のイメージにぴったりだ。

フル編成は難しい

新幹線もできればフル編成がまっすぐ載る長さの直線がほしい。しかし、東海道新幹線の16両編成をNゲージで再現すると2.5mを軽く超えてしまう。さすがにこれだけのスペースを確保するのは難しい。

そこで、不自然にならない程度に編成を短くして遊んでみよう。最低限必要なのは先頭車2両とパンタグラフつき中間車1両。これを基本に、グリーン車や中間車を足していく。ドアの位置や向き、側面ロゴつき車両の位置などに気をつけて、バランスを考えながら増結していこう。

また、800系やE3系『こまち』はフル編成でも比較的手ごろな長さで楽しめる。

自宅では短い編成で楽しみ、レンタルレイアウトではフル編成を楽しむという遊び方もある。

カント付きレール

なるべくスピードを落とさずにカーブを曲がるため、曲線にカント（傾き）を付けている。Nゲージでそれを再現できるのがカント付き線路で、KATO、TOMIXの両メーカーから発売されている。新幹線を走らせるならぜひ使ってみたい線路だ。

目線を下げて車体を傾けてカーブを通過していく姿を見ると模型とは思えないリアルさ。

新幹線が最高に映えるステージはやはり高架線。KATOからは「V13 複線高架線路セット」がTOMIXからは「高架複線基本セット」が発売されている。H5系●TOMIX

800系●TOMIX

短くてもフル編成

新幹線というと東海道新幹線のような長編成を思い浮かべるが、ミニ新幹線や九州新幹線などは6～7両編成と短い。また、JR西日本の0系や100系は4両編成で使われたこともあるなど、新幹線とはいえ短編成で走らせてもサマになるのだ。

在来線との競演

新幹線は多くの区間で在来線が並行している。そこで高架線の下に並行在来線を敷いてみよう。東北新幹線ならEH500が牽引する貨物列車、東海道新幹線ならJR各社自慢の近郊電車など選択の幅は広い。

新在直通の山形新幹線や秋田新幹線なら、新幹線車両と在来線車両が並ぶ姿も見られる。E3系●KATO、701系●マイクロエース(1000番台代用)

カーブは大きく

車体が長い新幹線は半径が小さなカーブでは曲がりきれずに脱線してしまう。スペースが許す限り、できるだけ半径が大きなカーブレールを使いたい。

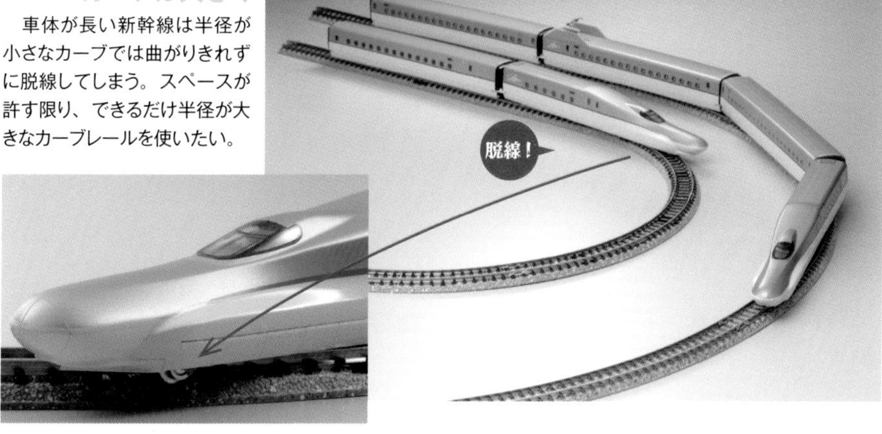

これなら満足 おすすめプラン

新幹線であればやはり「複線」は外せないということから、2プランとも複線での形を想定した。(B)のパターンは入門セットから鉄道模型をはじめた人向けのプラン。高架線にした後も、線路は無駄なく使おう。

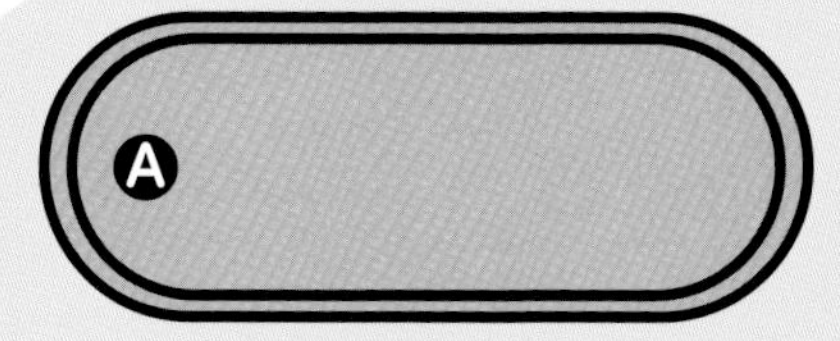

新幹線を楽しむなら複線は譲れないところ。高架線路が買えなくとも、線路の下に本などを敷いて盛土高架の雰囲気を出したい。下界と隔絶されてこそ新幹線だ。

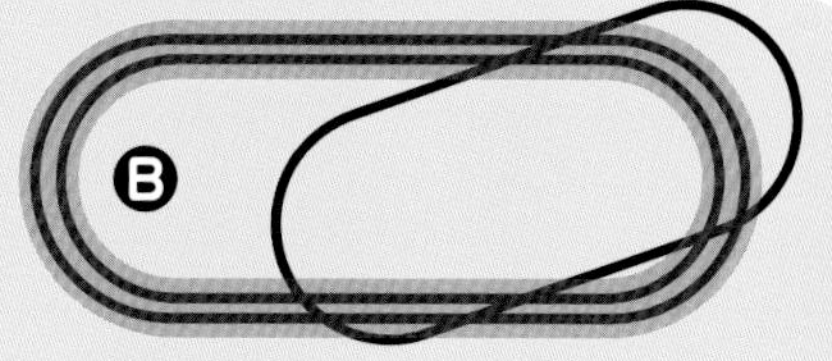

高架レールセットでめでたく高架線デビューしたら、あまった基本セットの線路は在来線用に転用しよう。なお、コントローラーは新幹線と在来線でそれぞれ用意することを忘れずに。

路面電車でつくる街

これがピッタリカーブ半径

TOMIX	KATO
280	249
243	216
177	183
140	150
103	117

**車両ラインナップも充実している路面電車。
自由度が高く、小さなスペースでも走らせられるのが大きな魅力。**

小スペースで走らせる

小半径の線路は大型車両の走行に制限があるものの、雑誌2冊分ほどのスペースで鉄道模型が楽しめるメリットがある。

そんな線路にぴったりなのが路面電車だ。R103のカーブは実物換算で半径約15mだが、実物の路面電車には半径11mのカーブだって実在する。つまり一見おもちゃのような急カーブも路面電車であればスケールどおり。

これら小半径の曲線線路の基本セットもKATO、TOMIXそれぞれから発売されているので、好みの路面電車と線路のセットで手軽に開業できるのだ。

線路の自由度は高い

路面電車は街中を走るイメージがあるが、富山ライトレールのように郊外を走ったり、福井鉄道のように田園風景を走るケースもある。つまり風景はなんでもありといっていい。

線路の配置も自在だ。急カーブの直角ターンを繰り返してもいいし、交差点の平面交差をつくってもいい。高架線にJRや私鉄の電車を走らせて、高架下に路面電車を走らせて都市のイメージにしても楽しいだろう。

車両が小型なので、直線区間の長さにこだわる必要も薄く、なんとなれば机の上であえて障害物を片付けず、急カーブでこれらを避けながら線路を敷くというのも、お座敷レイアウトならではの遊び方として知っておいていいのではないだろうか。

組み合わせで遊ぼう

路面電車とJRや私鉄の列車を組み合わせて遊ぶと、都市の雰囲気が出る。たとえば高架線エンドレスに小田急線、地上に東急世田谷線を走らせると、あっという間に豪徳寺の情景になる。このとき小田急線はぐるぐる周回させっぱなしにして、ポイント・トゥ・ポイントで路面電車の運転だけに専念してもいい。

簡単な組み合わせでも実際の鉄道シーンに近づけられる。小田急6000形MSE●マイクロエース、東急300系●MODEMO

KATOのユニトラムとストラクチャーを使えば、簡単に路面電車のある街が出現。

『鉄道コレクション』でも路面電車

トミーテックの『鉄道コレクション』からはレトロな路面電車から最新のLRVまで数多くの路面電車が発売中。動力ユニットは当然スーパーミニカーブレールのR103にも対応している。

おとぎの国の列車のようなチビロコ●KATO

ポケットライン

KATOから発売されている『ポケットライン』は、自由形の小型車両。路面電車には『チビ電』が最適だが、ここは何でもありの精神で『チビSL』を路面電車として走らせて、伊予鉄道の『坊ちゃん列車』風に仕立ててみてもおもしろい。

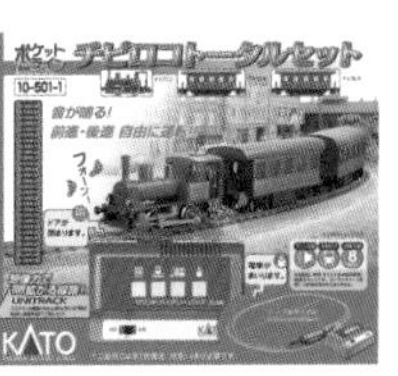

R216の小カーブエンドレスをつくれるレールと車両がパックされた『チビロコトータルセット』も発売されている。

路面電車用線路

路面のベースや電停などの小物をまとめてコンパクトにパッケージされている。

KATO ワイドトラム

KATOからは路面電車用線路『ユニトラム』を発売中。複線の基本セットのほか、広島電鉄の車両とパワーパックもセットになった『ユニトラムスターターセット』も用意されている。

TOMIX ワイドトラム

TOMIXからは『ワイドトラムレール』を発売。単線・複線いずれにも対応できるのが特徴。また、同車の『バスコレ走行システム』を組み合わせると、電車だけでなくバスも走る町並みをつくることができる。

幅広のレールは路面軌道にぴったりのデザイン。

ユニトラックとの接続も可能なので既存のレイアウトを拡張する時にも使える。

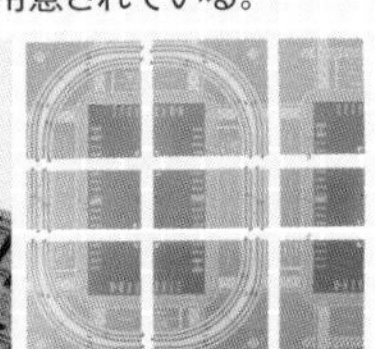

プレート状の路面をつなぎ合わせるだけで地面ができあがる。

小さなエンドレスをつくりジオコレをのせるだけで開業できる。

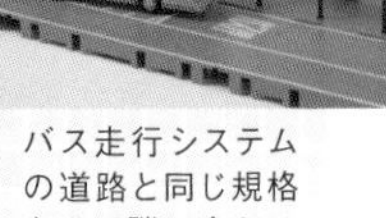

バス走行システムの道路と同じ規格なので隣り合わせて配置も可能。

これなら満足 おすすめプラン

路面電車は急カーブを曲がれることから、狭いスペースでも複線運転を楽しめる。そこで複線を使ったふたつのパターンを紹介する。

複線エンドレスの内側に車庫を配置し、ポイントを切り替えて入庫・出庫を楽しむプラン。コントローラーは内側線・外側線の2台を用意し、渡り線のポイントでギャップを切る必要がある。

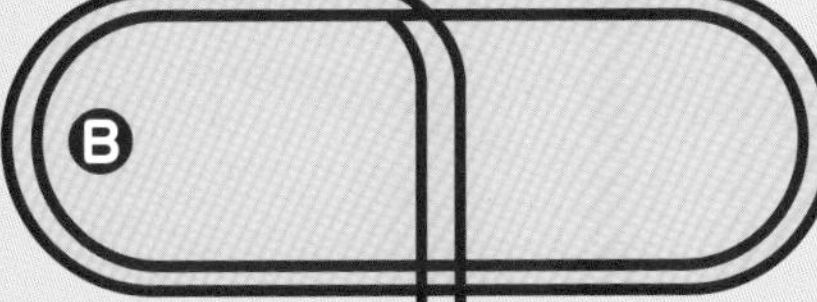

路面電車ならではの平面交差を楽しむプラン。下の行き止まりはターミナル駅で、平面交差を渡りポイントで本線に合流して環状線を走る。平面交差の前後に停留所を配置してもいい。

レールの維持・管理

**長く鉄道模型を楽しむにはメンテナンスが欠かせない。
スムーズに走らせるためにレールは常にきれいにしておこう。**

線路はすぐに汚れる

線路を拡張し、車両をたくさん走らせているうちに、だんだん動きが悪くなってくることがある。これはメンテナンスが行き届いていないということだ。

車両の走りが悪くなったら、まずは線路を疑ってみよう。鉄道模型は線路から電気をとって走るので、線路の表面に汚れがあると電気をうまく車両に導けないのだ。ためしに線路をティッシュペーパーでぬぐってみて、線路の跡がくっきり付くようでは快適走行は期待できない。

線路磨きにはクリーニング用の洗剤や綿棒が発売されている。これらを使って1本1本磨けば申し分ないが、線路が増えてたいへんな場合はTOMIXのレールクリーニングカーを使う手もある。レールクリーニングカーを走らせ、それでも走行が改善しないところを重点的にクリーニング液で磨くと効率が格段に上がる。

なお、車両の故障に関しては自分で直そうとせず、買ったお店かメーカーに相談するのが無難だ。

メンテナンスしよう

末永く自分の鉄道を維持するためには、日々のメンテナンスが重要だ。クリーニング液や綿棒など最低限の用品は手元に置いておきたい。

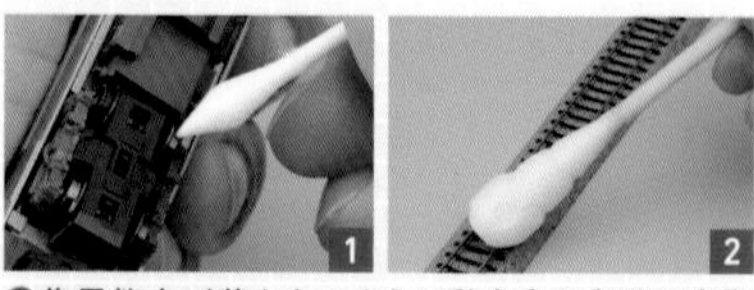

❶集電能力が落ちないように動力車の車輪も定期的にクリーニングしよう。❷レールはクリーナーを少量含ませた綿棒でこする。

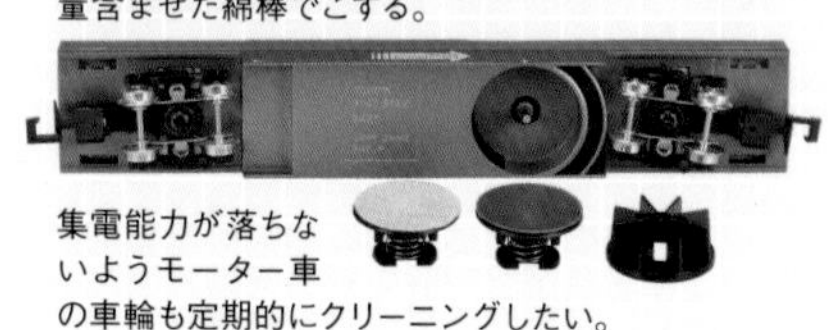

集電能力が落ちないようモーター車の車輪も定期的にクリーニングしたい。

レールクリーニングカー

TOMIXから発売されているレールクリーニングカーは、掃除機のように線路のごみを吸い取ったり、クリーニング液をしみこませたディスクでレール表面の汚れを拭い取ることができる。機関車と連結して線路を数周走らせれば、走りがかなり改善する。

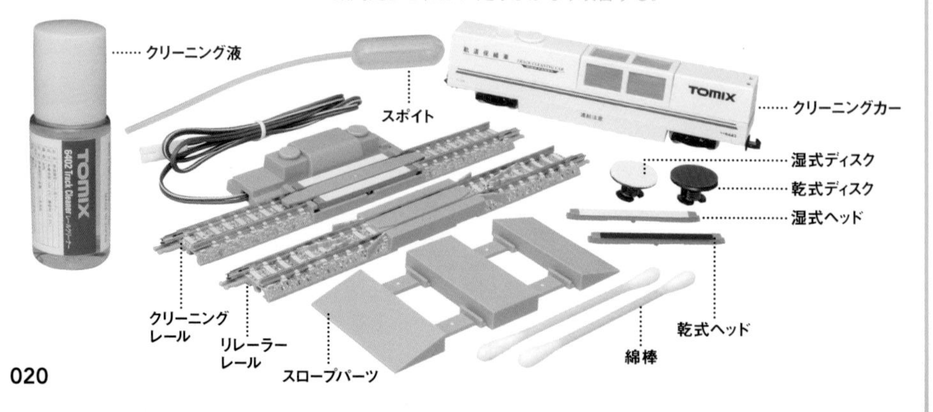

リアルな
走りを
手に入れる!

Nゲージ 運転メソッド

走らせてこそ楽しさが倍増するNゲージ。でも、エンドレスをぐるぐるまわっているだけでは物足りない。そこで、レイアウトプランの考え方や、車両のドレスアップ、運転バリエーションの増やし方などを紹介しよう。

文◎児山 計・編集部　写真◎金盛正樹(特記以外)

線路の拡張をしよう

**スターターセットからさらなる一歩を踏み出すならまずはレールの拡張。
セットや単品で追加してバリエーションを増やす。余裕があれば踏切や信号も取り入れたい。**

簡単だけど複雑な線路

スターターセットを購入して最初のうちは、自在に列車の速度を制御して運転士気分を楽しむことに熱中できる。しかし、同じところをぐるぐるまわっているだけでは次第に物足りなくなる。

KATOとTOMIXは直線、カーブ、ポイントなどさまざまな線路を発売しており、数々のパターンに対応している。これらを組み合わせれば、思い通りの線路配置を組むことが可能だ。

しかし種類の多さは、「何を買っていいのかわからない」ということにもつながる。たとえばカーブ線路ひとつをとっても半径の異なるものが何種類もある。どのような組み合わせなら線路がうまくつながるのかは、知識があっても迷うほど複雑だ。

異なるメーカーのレールをつなぐ

KATOのユニトラックとTOMIXのファイントラックは、ジョイナーに互換性がないため直接つなぐことはできない。

走らせるレイアウトは基本的にはどちらかの線路で統一すべきだが、どうしてもつなぐ必要がある場合はアダプターを介して接続する手段がある。

KATOとTOMIXのレールは道床の幅や高さ、ジョイナーが異なるので接続できない。

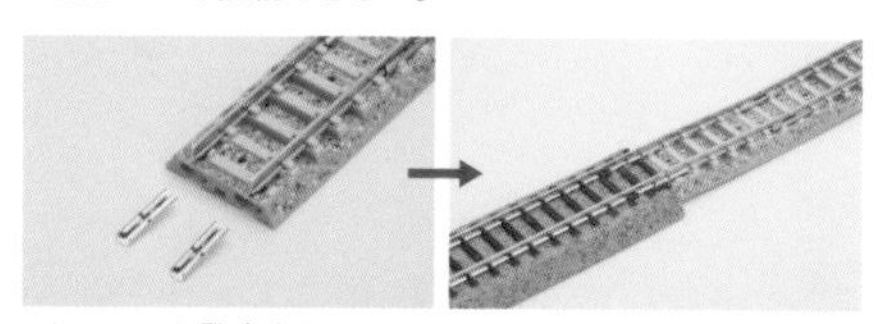

TOMIXから発売されているジョイントレールと同梱のジョイナーを用意。

ジョイナーを外したユニトラックと接続できる。

カーブ半径と通過車両

大きな半径の曲線線路でも、新幹線や蒸気機関車の場合、通過できる半径に制限がある場合がある。そういった車両には最小通過半径が設定され、製品にもその旨が記載されているので、線路を買う前に目を通しておこう。

上からカーブ半径317、280、243mm。新幹線なら280mm以上のレールを使いたい。

蒸気機関車は20m級車両が曲がれるカーブでも先輪が脱線するケースがある。余裕を持った曲線で楽しみたい。

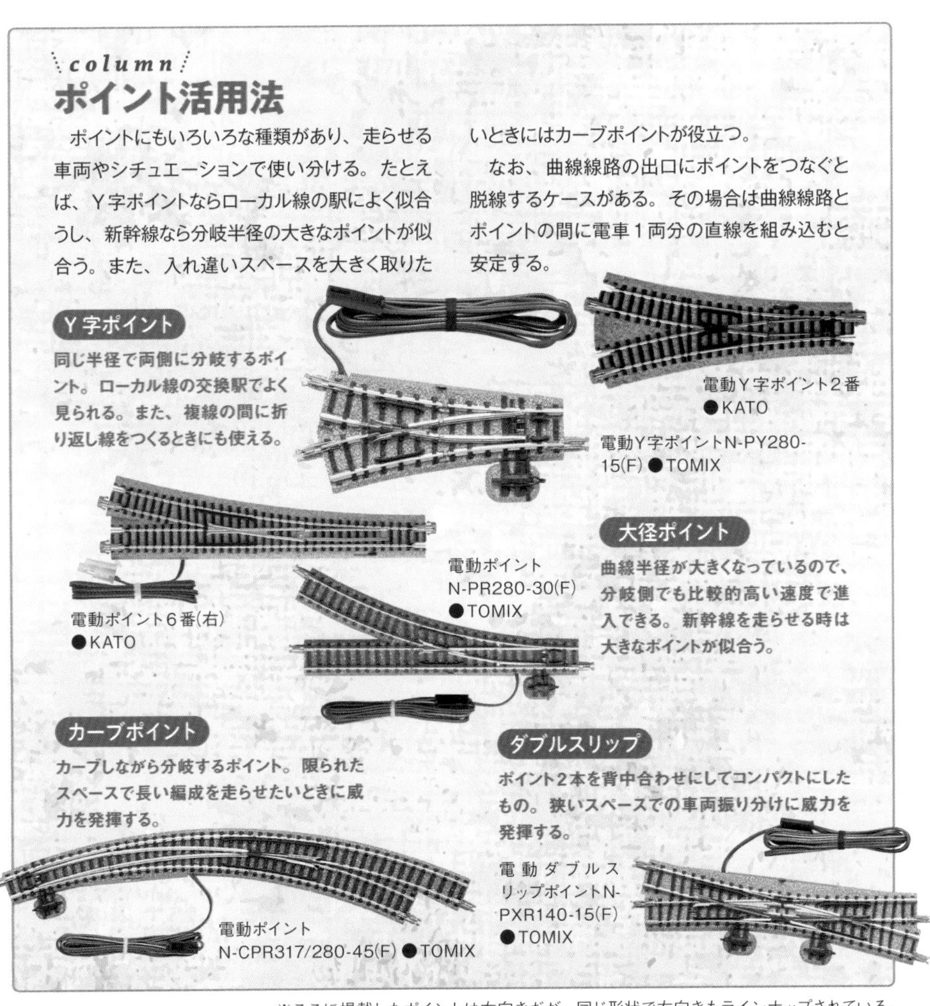

column

ポイント活用法

ポイントにもいろいろな種類があり、走らせる車両やシチュエーションで使い分ける。たとえば、Y字ポイントならローカル線の駅によく似合うし、新幹線なら分岐半径の大きなポイントが似合う。また、入れ違いスペースを大きく取りたいときにはカーブポイントが役立つ。

なお、曲線線路の出口にポイントをつなぐと脱線するケースがある。その場合は曲線線路とポイントの間に電車1両分の直線を組み込むと安定する。

Y字ポイント

同じ半径で両側に分岐するポイント。ローカル線の交換駅でよく見られる。また、複線の間に折り返し線をつくるときにも使える。

電動Y字ポイント2番 ●KATO

電動Y字ポイントN-PY280-15(F) ●TOMIX

電動ポイント6番(右) ●KATO

電動ポイントN-PR280-30(F) ●TOMIX

大径ポイント

曲線半径が大きくなっているので、分岐側でも比較的高い速度で進入できる。新幹線を走らせる時は大きなポイントが似合う。

カーブポイント

カーブしながら分岐するポイント。限られたスペースで長い編成を走らせたいときに威力を発揮する。

ダブルスリップ

ポイント2本を背中合わせにしてコンパクトにしたもの。狭いスペースでの車両振り分けに威力を発揮する。

電動ダブルスリップポイントN-PXR140-15(F) ●TOMIX

電動ポイントN-CPR317/280-45(F) ●TOMIX

※ここに掲載したポイントは右向きだが、同じ形状で左向きもラインナップされている。

まずは線路セットで拡張

そこでおすすめなのが線路セット。説明書には数々のパターン例が載っており、線路の組み方を遊びながら覚えられる。

もちろん参考例のとおりに必ずつくる必要はない。遊ぶ環境に合わせて線路を減らしたり足したりして、オリジナルの配置にしてもかまわない。

本物の鉄道でも用地買収がうまく行かなければ計画を変更するのだ。鉄道模型でも事情に合わせてルートを再検討するのは「リアルな遊び」といえる。

なお、線路を買い足す際に気をつけたいのがカーブの半径。小半径のカーブは小さなスペースで遊ぶには最適だが、半径が小さくなると走れない車両が出てくる。特に、蒸気機関車や新幹線を走らせる場合に注意が必要だ。通過曲線に制限がある場合は、製品やカタログに記載があるので、購入前に確認しよう。

STEP2

実践！ レイアウトプラン

線路を拡張するにしても、具体例がないとよくわからない。
そこで、KATOとTOMIXの目的別レイアウトプランを紹介する。

目的を明確にしよう

線路を拡張するならまず、何をしたいか目的を考えよう。たとえば、

- **編成を長くしたい → 直線線路を増やす**
- **走らせる車種を増やしたい → 高架線、ヤードを導入**
- **友達と一緒に遊びたい → 複線化、ポイント導入**

など、それぞれの目的に応じた解決策がある。

走らせる車両ひとつをとっても、新幹線は小さなエンドレスでは先頭車と最後尾が近づきすぎるし、カーブ半径が小さいと連結面がカクカクしてしまい興ざめだ。

また、ポイントを使うにしても車庫での入換、駅での通過待ちなど、目的によって必要な線路の数や種類が変わってくる。

ここではKATOとTOMIXのレイアウトパターンを例に、遊び方を考えてみよう。

PATTERN 1

走行距離を伸ばしたい

限られたスペースで距離を稼ぐなら、変形８の字と呼ばれる、エンドレスをふたつ重ねたようなパターンがおすすめ。

交差部分は平面交差でも立体交差でも好みと線路のパターンにあわせて選ぼう。

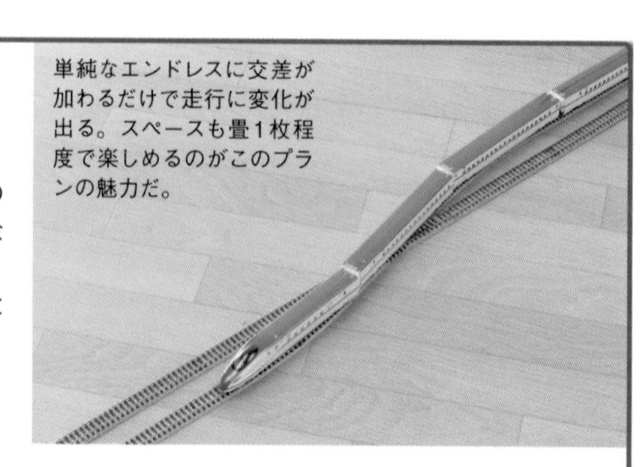

単純なエンドレスに交差が加わるだけで走行に変化が出る。スペースも畳１枚程度で楽しめるのがこのプランの魅力だ。

レールセット立体交差セット
（ストレートレールS280-PC(F)×２、高架橋付レールHS140-PC(F)×６、高架橋付レールHC280-45PC(F)×４、高架橋付レールHC317-45PC(F)×４、単線トラス鉄橋(F)（緑）（PC橋脚）２本組×１、PC勾配橋脚(10本組)×２、ステップ×２）

TOMIX
1598×758mm
ベーシックセットに立体交差セットを組み合わせると、立体変形８の字レイアウトが組める。新幹線などはこちらが似合うかもしれない。

PATTERN 2

複数列車を走らせたい

いろいろな列車を同一線路上に配置して、入れ替えて遊ぶならポイントは必須。

電車メインなら待避線をつくって列車交換を楽しめるような配置、機関車メインなら入換を考慮した引き上げ線をつくるなど、車両に合わせて線路配置を考えよう。

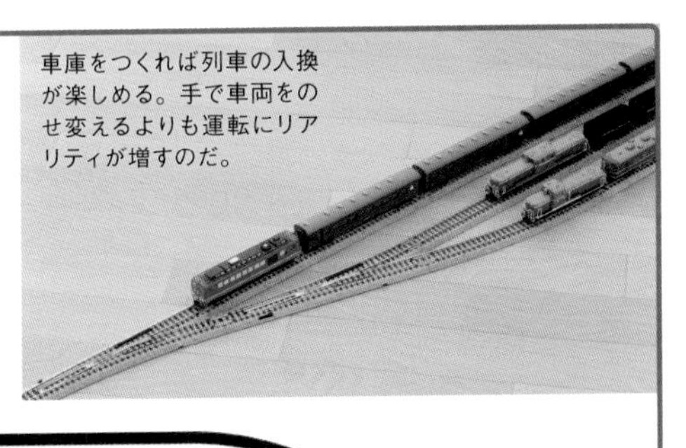

車庫をつくれば列車の入換が楽しめる。手で車両をのせ変えるよりも運転にリアリティが増すのだ。

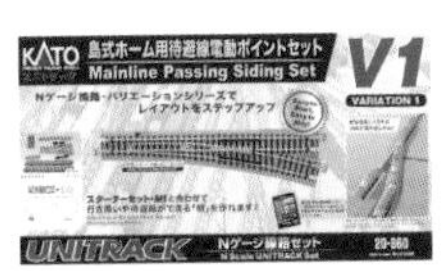

V1 島式ホーム用待避線電動ポイントセット

（ポイントスイッチ×2、曲線線路R718-15×2、直線線路248㎜×6、直線線路64㎜×2、電動ポイント6番L・R×各1）

KATO
2019×1147mm

スターターセットに線路セットV1とV3を足し、待避線と車庫の両方を楽しめるプラン。最大4列車を自在に入換できる。

V3 車庫用引込線電動ポイントセット

（ポイントスイッチ×2、曲線線路R718-15×2、直線線路248㎜×6、直線線路64㎜×2、電動ポイント6番L・R×各1）

PATTERN 3

友達と一緒に遊びたい

友達と一緒に遊ぶなら、それぞれが自由に運転できる複線がおすすめ。

すれ違いや追い抜きのほか、2人で協力して渡り線を走らせて車両を入れ替えてもおもしろい。なお、2人で遊ぶにはコントローラーが2台必要となる。

複線にすれば複数の人と鉄道模型を楽しむことができる。ショートに注意していろいろな運転を楽しもう。

レールセット引込み線セット

（ストレートPCレールS140-PC(F)×1、ストレートPCレールS280-PC(F)×4、ストレートPCレールS72.5-PC(F)×2、カーブPCレールC541-15-PC(F)×2、手動合成枕木ポイントN-PR541-15-SY(F)×1、手動合成枕木ポイントN-PL541-15-SY(F)×1）

TOMIX
1754×634mm

内側は引き上げ線の入換、外側は待避線としたパターン。ベーシックセットに引込み線セット×2と複線化セットを組み合わせたパターンだ。

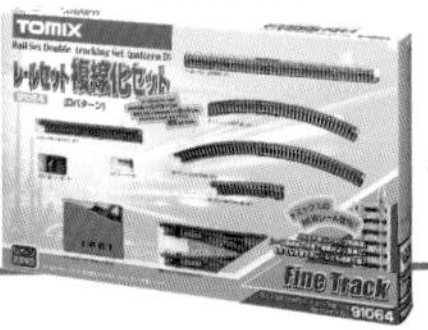

レールセット複線化セット

（ストレートレールS140(F)×2、ストレートレールS280(F)×3、カーブレールC317-45(F)×8、カーブレールC541-15(F)×4、電動ポイントN-PX280(F)×1）

STEP3

写真●佐々木龍・米山真人　協力●プラッツ

リアリティの追求
固定式線路を使う理由

お座敷運転だけでなく、ジオラマ製作においても道床付きレールは便利だ。だが、線路にもよりリアリティを求めるなら、固定式線路の活用を考えてみよう。

固定式線路はハッキリいって使いづらい。道床のない線路は柔く、レールのジョイナーもはめにくくて外れやすい。ポイントも床に置いただけでは転換もできない。

しかし、この線路はベースに固定して使うためのもの。きちんと位置決めして道床をつくり敷設する。そして、ポイントマシンを設置してバラストを撒く。

走らせるまでの手順が大変だが、この作業は実物の鉄道建設に何だか似ている。そう!この手間が、リアルなルックスの理由だ。直線から曲線へと、自然で美しいラインをつくれるフレキシブルレール。見るだけでも美しい実感的なポイント。道床付きでは得られない、魅力があるのだ。

フレキシブルレールの利点

レールと枕木、実物に準じた構成がリアルさを演出する根幹である。ただし枕木はハシゴ状につながった成型品で間隔を保つなど、模型としての使いやすさも考慮される。

PECOでは用途に応じた製品を用意している。

ジオラマに組み込むには加工が必要になるが、仕上りのよさは折り紙付きだ。

コード80

一般的な構造のフレキシブルレール。他社のレールと組み合わせて使うのに便利。

Nフレキシブル線路・木枕木

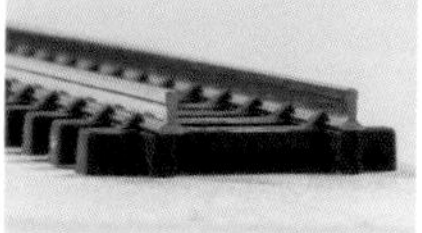

Nフレキシブル線路・PC枕木

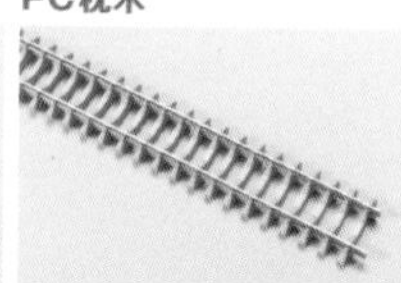

コード55

2段になったレールの下部を枕木に埋め込み、レールも細くより本物らしく見せる。犬釘はレリーフ状のダミーなので、通常車輪でもフランジが当たる心配がない。

Nファイン フレキシブル線路・木枕木

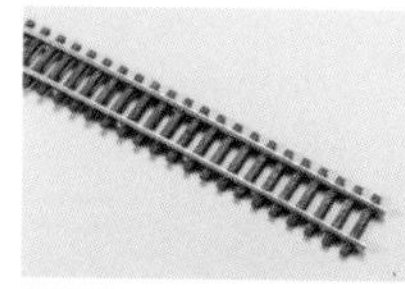

Nファイン フレキシブル線路・PC枕木

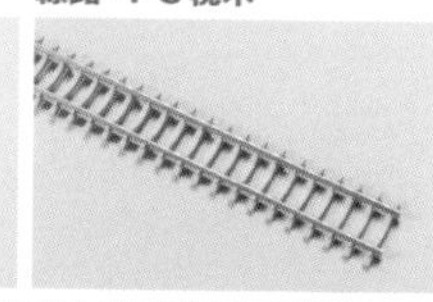

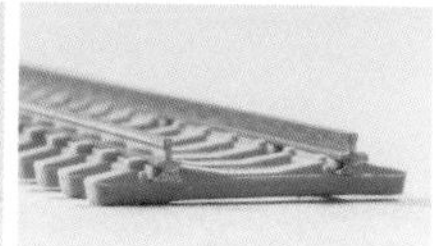

※製品はいずれもPECO

KATO・TOMIXはこう見える

気軽に使えるKATO、TOMIXの線路。断面をフレキシブルレールとくらべてみると、道床がある分、枕木表現があっさりしている。

KATOユニトラック

TOMIXファイントラック

column

見た目も美しいポイント

固定式レールの魅力はフレキシブルレールだけではない。機構的にもなるべく実物に近い形となったポイントは、見ているだけでも楽しめる。さまざまなポイントがラインナップされるなかで、その究極はダブルスリップ。実物と同じ8本の可動部を持ち、実物と同じように機能する。ポイントマシンは大きく強力で確実な動作。ベースボード下に埋め込むので、見た目も邪魔にならない。

●Nファイン ダブルスリップ●PECO

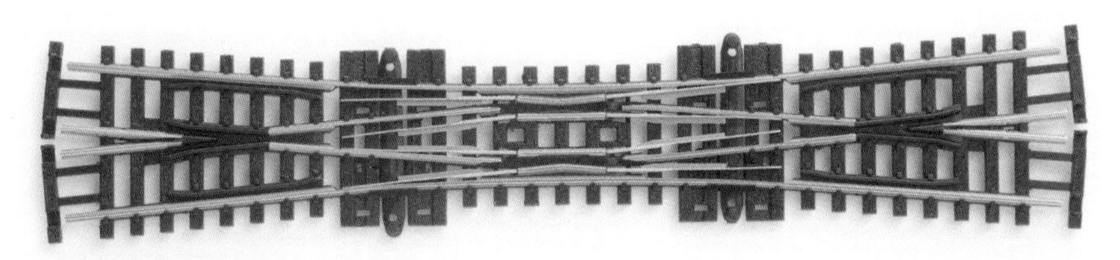

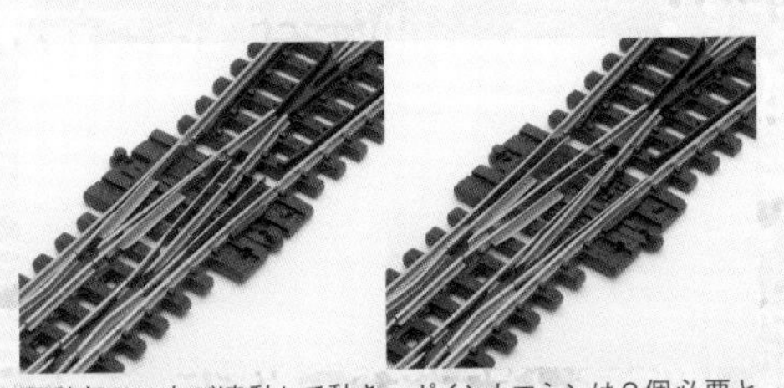

可動部は4本が連動して動き、ポイントマシンは2個必要となる。実物と同じ制御をおこなうことも魅力のひとつだ。

ポイントスイッチ（下）とポイントマシン。ポイントマシンをポイントに組み合わせ、ポイントスイッチに専用のケーブルでつないで使用する。

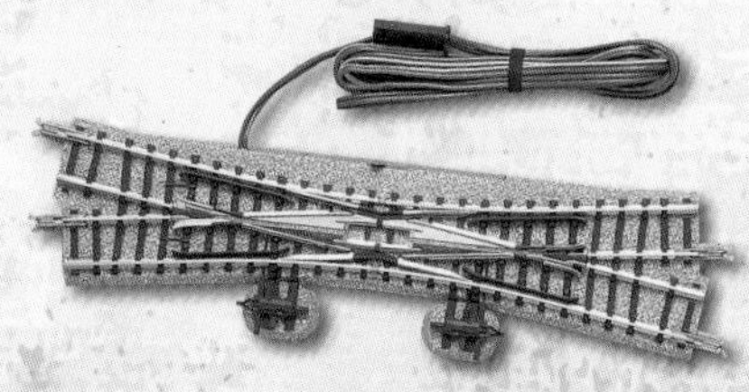

TOMIXのダブルスリップ

ポイントレールは実物の半分の4本に省略され、模型特有の実用本位の動作となる。

STEP4

車両ドレスアップ計画

**スターターセットに付属の車両は鉄道模型を楽しむための最低限の要素。
ここから好みに合わせて拡張するのが醍醐味だ。**

車両をもっとリアルに

スターターセットには最初、3～4両の車両が入っている。ここから車両を増やして、フル編成に近づけていくのが鉄道模型の醍醐味だ。

さらに車両をかっこよくする手段として、室内灯の増設と連結器の交換にチャレンジしてみてはどうだろう。

メーカーも室内灯を組み込むことを前提に車両を設計しており、車両を分解する手間はあるものの、説明書の指示にしたがって組み込めば、まず間違いは起こらないレベルにまで容易になっている。

また、色味を車両によって変える楽しみもある。旧型客車なら電球色、新型車両なら白色を選んだり、編成内でグリーン車と普通車の色合いを変えて、実車に近い雰囲気を出すこともできる。

室内灯の入れかた

室内灯は各社からさまざまなタイプが発売されているが、基本は車両を分解し、車内に導光材とLEDを取り付けるだけだ。

ただし、車両の大きさにより、幅広、幅狭が指定されていたり、車体長の関係で導光材を切断するといった加工が必要な場合もある。

KATO 編

❶まずは車体をボディと床下に分解する。❷床下の端から集電板を差し込む。柔らかい部品なので、曲げないよう注意したい。❸ライトユニットを挟み込むように差し込む。ユニットの接点と集電板が接触しているか確認しよう。❹導光板は屋根に固定する。屋根のモールドに合わせて導光板をはめ込む。❺ライトユニット・導光板がしっかりはめ込まれていることを確認したら、ボディを被せる。❻取り付け完了。

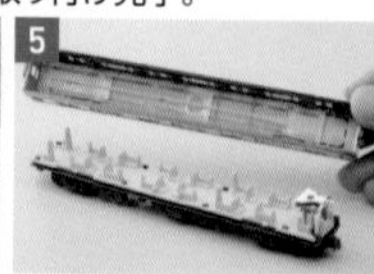

TOMIX 編

❶ボディを外す。力任せに外してツメを折ったりしないよう注意。❷ライトユニットの片端から出ているバネを床板の穴に差し込み集電板に接続する。❸座席モールドに室内灯のツメがある場合は、ツメにライトユニットを固定する。❹ライトユニットを取り付けた状態。❺車体をかぶせて完了。

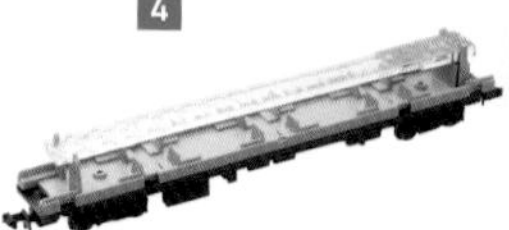

遊び方でカプラーを選ぶ

Nゲージのカプラーといえばアーノルドカプラーが定番だったが、今では見た目や機能性を重視したカプラーが装備されている製品が多い。

電車のように固定編成を組む車両では、連結面の間隔を詰めて見た目をよくしたり、連結器まわりのディテールアップを施して見映えをよくできたりと、そのメリットは大きい。

一方でアーノルドカプラーには、連結・開放が容易という大きなメリットがある。このメリットが最大限に活きるのが電気機関車と客車・貨車の編成。

予算や機能に合わせ、適切なカプラーを選択しよう。

カプラーの種類

Nゲージのカプラーはメーカー・車種ごとにたくさんの種類がつくられている。写真のほかにも、新幹線などは専用のカプラーで連結しているケースもある。

アーノルドカプラー
Nゲージ鉄道模型の標準カプラー。見た目はいまひとつだが、連結・解放が容易なのがメリット。

KATOカプラーN
自動連結器を模した連結器で、客車や貨車に使う。アーノルドカプラーとの交換も簡単だ。

KATOカプラー密連形
密着連結器を模した形状。密連自体に連結機能はなく、下部の電気連結気風のパーツで連結する。

KATOカプラー密連形#2
密着連結器の形状だが、下部に電連がないタイプで、最近の新製品に採用されるケースが多い。

TNカプラー自連タイプ
リアルカプラーの代名詞ともいえるTOMIXのTNカプラー。形状と連結面のリアルさは折り紙付きだ。

TNカプラー密連タイプ
ボディマウント式で伸縮機構がある。形状のリアルさでファンが多い。

マイクロカプラー自連タイプ
マイクロエース製品は純正品のマイクロカプラーと、非公式だがTNカプラーへ取替えができる。

マイクロカプラー密連タイプ
伸縮機能付きで、ボディマウントタイプとなっている。

リアルな連結間隔を再現

アーノルドカプラー、KATOカプラー、TNカプラー、それぞれの連結間隔の違いを見てみよう。

台車マウント方式のアーノルドカプラーは曲線通過も考慮しなくてはならないため、10mm前後の間隔が開いてしまう。

電連を模したフックがあるタイプのKATOカプラーの連結部。アーノルドより間隔が狭く、フックがつながっている様子がわかる。

TNカプラーなら5mm程度まで連結面を詰められ実感的。また、汚物タンクなど車端部のディテールも表現可能となる。

“光”を

最大限に生かす列車

夜行列車を運転するなら、ぜひとも導入したい室内灯。お座敷レイアウトでも部屋を暗くすれば、“光”の効果を体感できる。規模の大きいジオラマなら、さらに雰囲気もアップ。鉄道模型をより実車らしく走らせたいなら、ぜひ導入してみよう。285系●KATO

STEP5

実車により近づける運転にトライ

**線路配置や運転も模型サイズに縮小して楽しんでみると、
ただ漠然と走らせるだけでは味わえない奥深さに気づくはずだ。**

実際の列車を再現しよう

東北新幹線『はやぶさ』『こまち』の分割・併合、碓氷峠の補機の連結、客車列車の機関車の交換など、運行の途中で列車の形態が変わることがある。

始発から終点までの間で起こる編成の変化を、模型でも再現することは可能だ。

分割・併合に関してはそれぞれの編成に動力車が必要となる。

この際、同じメーカーの同じ形式であればほぼ問題なく同調するが、メーカーや形式が異なった場合は同調がうまく行かず、動力車に負荷がかかり故障の原因となる場合がある。

また、メーカーが違う場合はカプラーの問題で、組み合わせて運転できないこともあるので注意したい。

先頭部の部品を外すと、併結用カプラーがあらわれる。こうしたギミックもリアルな運転に貢献している。

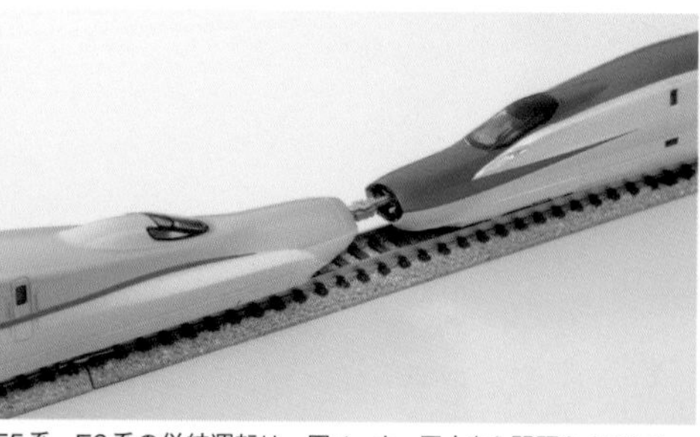

E5系、E6系の併結運転は、同メーカー同士なら問題なくできる。

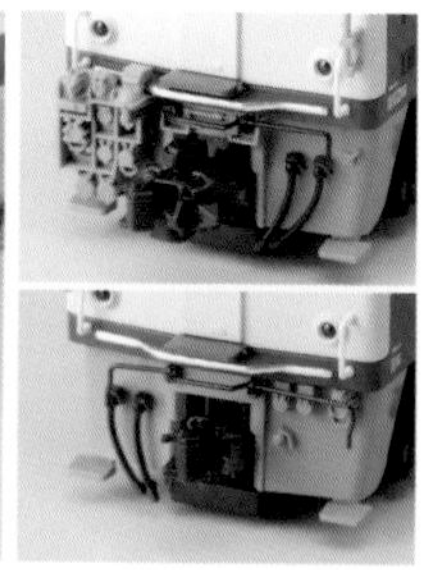

碓氷峠を再現するためのEF63(TOMIX)は、一方が密連と自連の双頭カプラー、もう一方が自連タイプのカプラーとなっている。

機関車は一方をアーノルドカプラーにしておくと、貨車などを牽引する際に便利。

column

機関車付け替えにチャレンジ

客車列車は途中で機関車の交換をすることがある。模型でも線路配置を工夫すれば、似たようなシチュエーションを再現できる。機関車を線路から外してのせ変えるよりも、ずっとリアルで楽しい運転が可能だ。

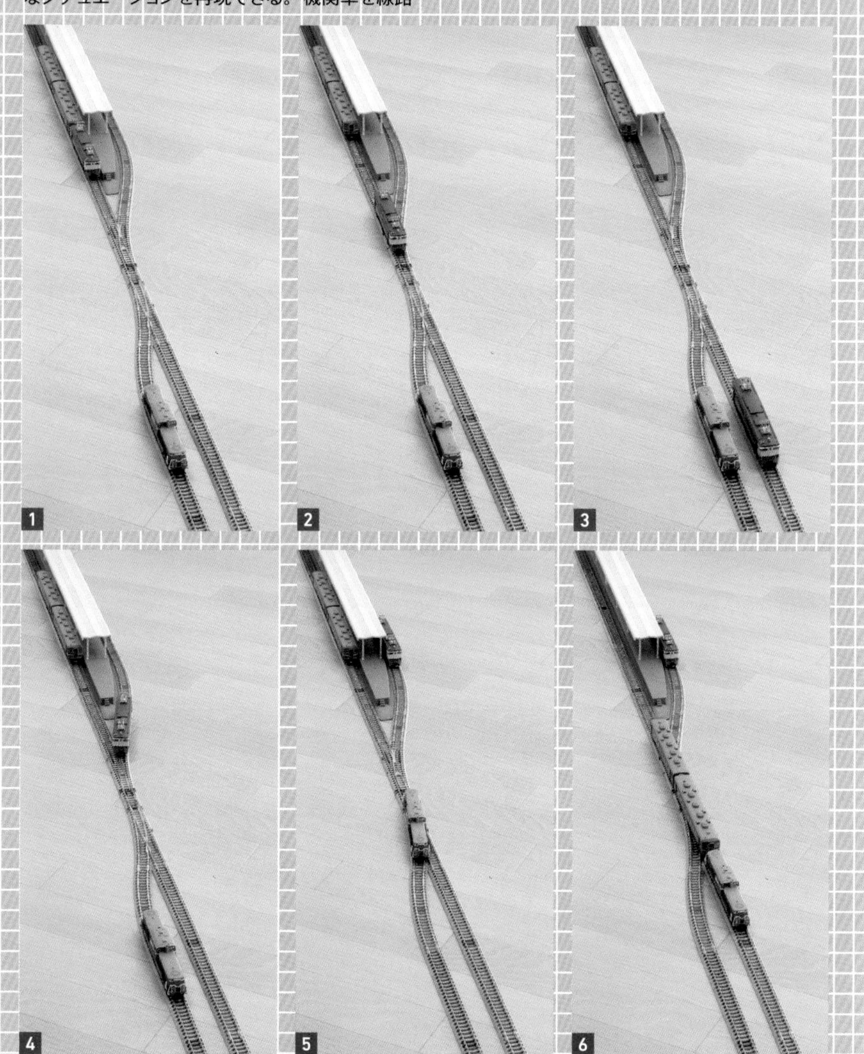

❶もっともシンプルな機関車付け替えの配置。ポイントを背中合わせに配置して、片側に機関車の留置線を置く。この例ではケーブルを略しているが、フィーダーはポイントとポイントの間に挟むとよい。❷駅に到着した列車から、電気機関車を切り離し直進させる。❸ディーゼル機関車と並ぶくらいの位置でいったん停止。❹駅側のポイントを反位に切り替え、客車の反対側のホームに電気機関車を待避させる。❺待避線のポイントを反位に、駅側のポイント定位に切り替え、ディーゼル機関車を客車の止まるホームに進める。ポイントが切り替われば、電気機関車側に電気は流れない。❻客車を連結し、待避線のポイントを定位側に切り替えて発車する。

STEP6

再現！大月駅

運転するに当たって、実在の駅の配線を再現してみたい。列車の扱いがより本物らしくなる。ここでは中央本線の大月駅をイメージして遊んでみたい。

実際の駅をモデルに

支線の分岐があり、追越なども楽しめる中央本線の大月駅。

2面3線の駅配置に富士急行線の1面2線が加わり、さらに折り返し線やポイントなどにぎやかな駅だが、これを完全再現するのは予算的にも場所的にも難しい。そこで、運転機能を損なわない程度に線路を整理することからはじめてみる。

図1は大月駅の配線略図だが、このなかから赤い線を採用し、運転機能を損ねないため青い線を追加している。黒い線はここでは使わなかった線だが、予算やスペースに合わせて適宜取り入れてもいい。

ホームには1か所、ギャップを切っている。これは分割・併合運転や直通運転をするためだ。

用意するコントローラーは本線の上下で各1台、富士急線用に1台の計3台だ。

これをエンドレスにまとめ、図2のようなプランを作成した。

外側線の本線に隠し待避線を1本設置しているが、これは追い越し運転をするために用意した。

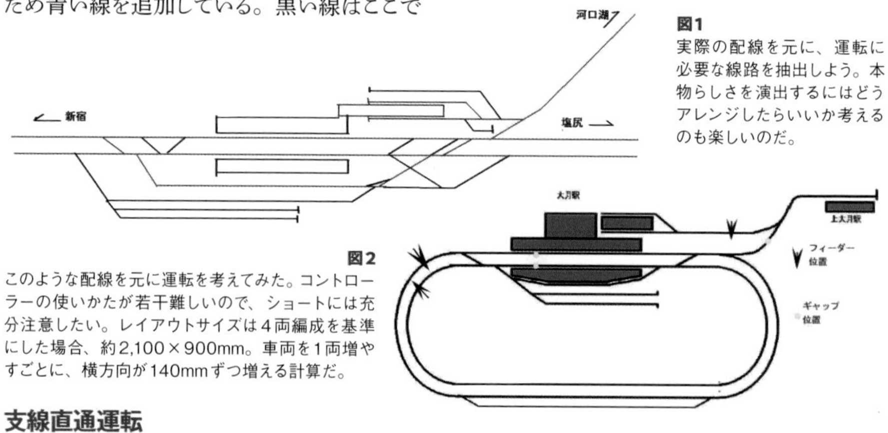

図1
実際の配線を元に、運転に必要な線路を抽出しよう。本物らしさを演出するにはどうアレンジしたらいいか考えるのも楽しいのだ。

図2
このような配線を元に運転を考えてみた。コントローラーの使いかたが若干難しいので、ショートには充分注意したい。レイアウトサイズは4両編成を基準にした場合、約2,100×900mm。車両を1両増やすごとに、横方向が140mmずつ増える計算だ。

支線直通運転

❶E233系中央特快が富士急線に直通するシーンを遊んでみる。下準備として外側線にE233系、富士急線の終点側に富士急1000系を配置する。内側線はこの段階では運行に関係ないので、好きに車両を走らせておいてもかまわない。❷大月駅1番線にE233系が到着したら、富士急行側のコントローラーを操作して、富士急1000系を大月駅富士急ホームに向かって走らせよう。富士急線は単線なので、入れ違いをしてから発車となる。❸ポイントを切り替え、富士急線のコントローラーをオフにしてE233系を富士急線に直通させる。ゆっくりとポイントを渡ると、雰囲気が盛り上がる。❹富士急線から折り返して大月駅に戻る際は、外側線と富士急線のコントローラーをオフにして、内側線を操作して内側線の待避線に入線しよう。❺なおこの時、内側線を走っていた115系は中線ホームに止めておこう。ポイントの切替を間違えなければ、中線に電気は流れない。

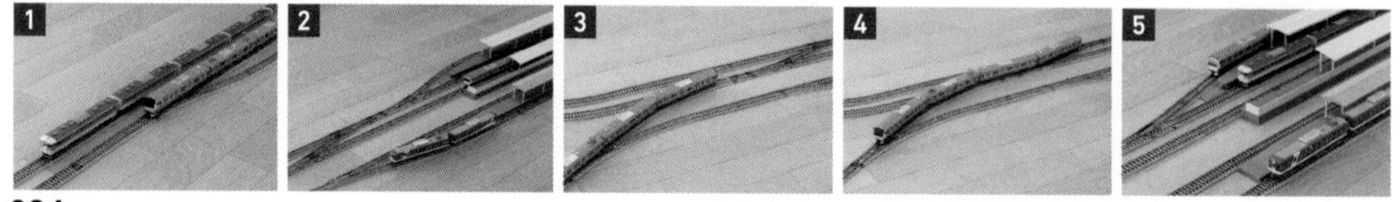

STEP7

運転のバリエーションを増やそう

ここまで車両やレイアウトに工夫を凝らして運転する方法を紹介してきたが、もうひとふりスパイスを効かせると、今まで体験したことのない世界が広がってくる。

究極の運転を目指す

車両、レール、コントローラー。この3つがあれば運転ができるNゲージ。

でも、そこからもう一歩先に進んでみよう。音や視覚、操作方法にも目を向けると、さらに運転のバリエーションが増えてくる。

たとえば、本物の鉄道なら加減速時のモーター、ドアの開閉、警笛など、さまざまな音がする。それを模型の運転でも再現できればよりリアルな雰囲気を味わえる。

KATOのサウンドボックスはそれを身近なものにしてくれるアイテムだ。

また、鉄道好きならあこがれる前面展望。これを運転士目線で体験できるのがカメラカーの存在だ。スマホやタブレットにカメラの映像を映して、実際に運転しているような気分になれる。

これらのアイテムを取り入れると、Nゲージの新たな魅力にきっと気付くはずだ。

前面展望を楽しむ

TOMIXの車載カメラシステムセットは、E233系の先頭にカメラを配置し、Wi-Fi経由でスマートフォンやタブレットに前面展望を表示する。運転台型のパワーユニットと合わせて遊んでみよう。

お座敷レイアウトでも、運転台越しの風景を見ながら走らせてみたい。ホームなどのストラクチャーや信号機、踏切などを配置するだけでも前面展望に変化を出せる。

耳で楽しむ鉄道模型

KATOが力を入れているのが「音の世界」。DCCのような特別な加工やプログラミングが不要で、手軽に走行と同調したサウンドを付加するのがサウンドボックスだ。ROMカードを取り替えることで、特定の形式のサウンドを手軽に再生できる。

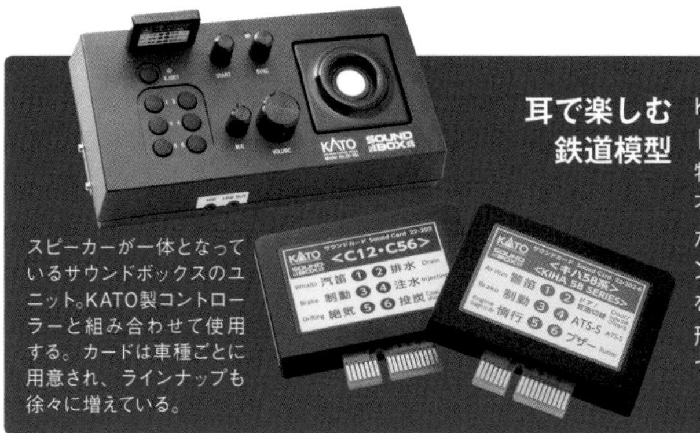

スピーカーが一体となっているサウンドボックスのユニット。KATO製コントローラーと組み合わせて使用する。カードは車種ごとに用意され、ラインナップも徐々に増えている。

column

信号と踏切を組み込もう

信号・踏切は光と音のギミックを運転に与えてくれる存在で、レイアウトに組む込むとリアリティがグッと増すアイテムだ。踏切はどこに置いてもその存在感を発揮するが、信号機は置く場所を少し考えてみたい。

信号機の最初の1本は駅の出口の出発信号機がおすすめ。青信号になって駅を発車する情景は絵になる。次に場内信号機、そのあとに本線上という順で増やすのが効果的だ。

信号の動き

KATO、TOMIXともに、自動で表示が切り替わる信号機のシステムがある。ここでは、TOMIXの4灯式信号機を例に、その動きを見てみたい。

1 列車の通過前は青を現示。

2 列車が通過するとレールにあるセンサーが反応して赤になる。

3 しばらくすると黄色が2灯の警戒表示に。

4 続いて黄色1灯の注意表示。

5 再び青を現示し、進行可能となる。

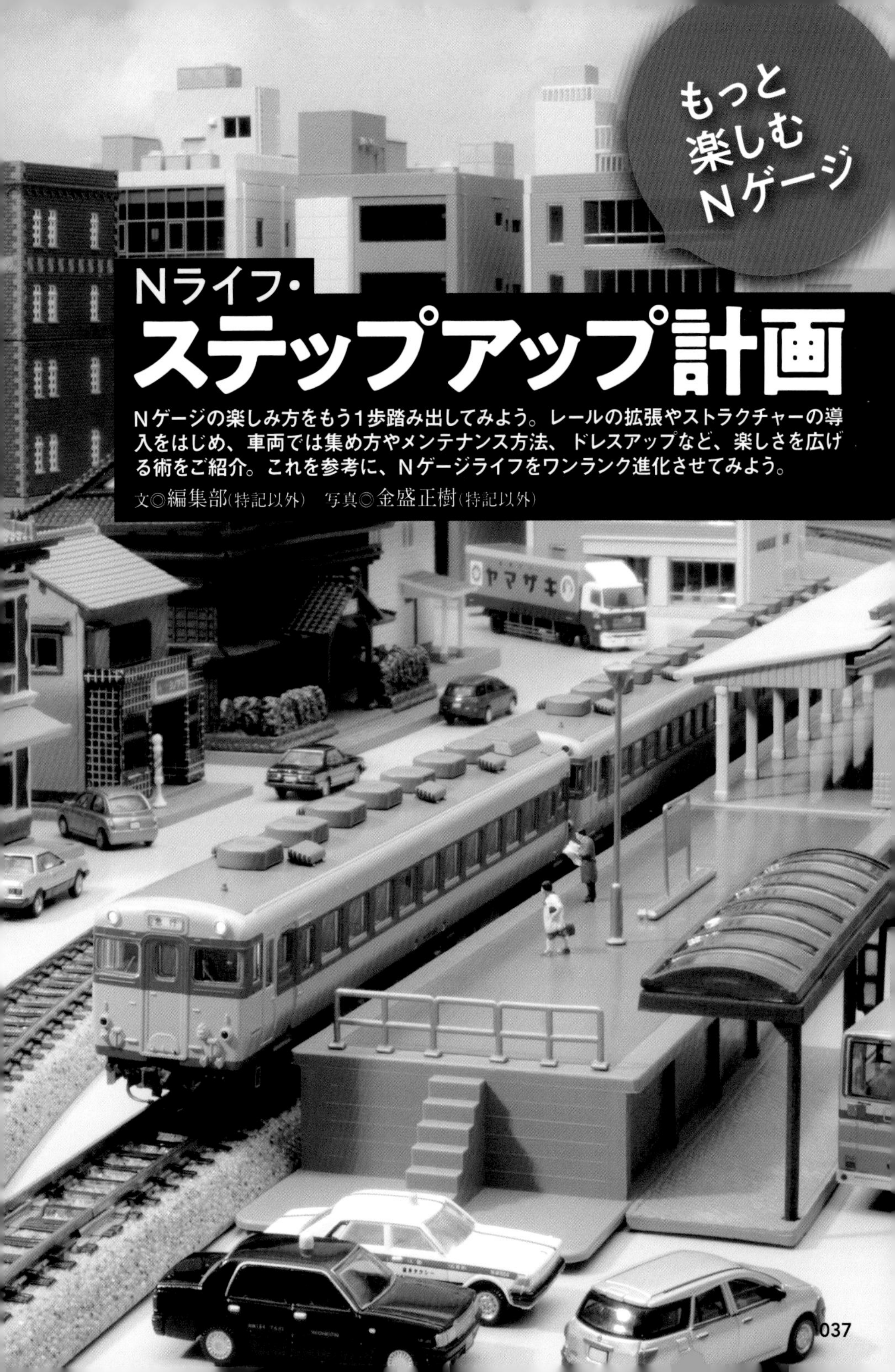

もっと
楽しむ
Nゲージ

Nライフ・ステップアップ計画

Nゲージの楽しみ方をもう1歩踏み出してみよう。レールの拡張やストラクチャーの導入をはじめ、車両では集め方やメンテナンス方法、ドレスアップなど、楽しさを広げる術をご紹介。これを参考に、Nゲージライフをワンランク進化させてみよう。

文◎編集部(特記以外)　写真◎金盛正樹(特記以外)

※写真は旧製品です。

車両セットを研究する

いきなり10両以上の車両を購入し、長編成を組むのはたいへん。
そこで、ひとつの編成を何両ずつかに分けて販売するスタイルがある。
予算に応じて、好みに合わせて、リアルな編成もオリジナルな編成も
自由に組める「車両セット」について調べてみよう。

少しずつ車両を増やす楽しみ

Nゲージをはじめると「いつかは10両を超える長編成の車両を揃えたい」と考える。でも、一気に10両や12両、あるいは16両を揃えるのは、予算の関係もあって躊躇してしまう。そこで、各社とも長編成になる形式は、基本セット、増結セット、単体車両を組み合わせ、少しずつ車両を増やせるようになっている。

たとえば、首都圏の近郊形として人気の高いJR東日本のE231系（東海道線・湘南新宿ライン）では、複数のセットを組み合わせ、基本編成の10両、付属編成を含めた15両フル編成まで、段階的に車両を揃えられるようになっている。

KATOのE231系（東海道線用）では、動力車を含む4両で構成される基本セットに2階建てグリーン車1両が組み込まれている。東海道線のE231系らしさを基本セットでも感じられるようにした配慮が感じられる。増結セットAを追加するとM＋M’の動力車ユニット、2階建てグリーン車が2両となり、違和感のない8両編成を組むことができる。

一方、TOMIXのE231系（東海道線用）の基本セットは動力車と2両の先頭車を組み合わせたミニマムなもの。増結セットを追加すると、M＋M’の動力車ユニットが特徴的な2階建てグリーン車が2両入った10両編成ができあがる。さらに、基本セットBの付属編成セットを組み合わせると、15両のフル編成が楽しめる。

少しずつ車両を買い足し、目指す編成を組み上げていくのも、Nゲージの楽しみのひとつだ。

KATO のE231系セットで…
15両フル編成を組む

「基本セット」は動力車を含む4両の構成。特徴的な姿を持つ2階建てグリーン車1両が組み込まれる。これに加えるのが「増結セットA」の4両。もう1両のグリーン車が含まれ、堂々とした8両編成が組める。増結セットAのブック形ケースの空きスペースに基本セットの4両が収まる。「増結セットB」はサハE231の2両セットで、これで、実物の基本編成と同じ10両が揃う。最後に「付属編成セット」の5両を加えれば、15両フル編成の完成。

E231系 東海道線・湘南新宿ライン 基本セット(4両セット/M付/¥12,100)

E231系 東海道線・湘南新宿ライン 増結セットB(2両セット/¥3,300)

E231系 東海道線・湘南新宿ライン 増結セットA(4両セット/¥8,910)

E231系 東海道線・湘南新宿ライン 付属編成セット(5両セット/¥15,620)

E231系(東海道線・湘南新宿ライン)の15両編成図

▼基本編成

1	2	3	4	5	6	7	8	9	10
クハE230	モハE230	モハE231(M)	サロE230	サロE231	サハE231	サハE231	モハE230	モハE231	クハE231

基本セット　増結セットA　増結セットB　付属編成セット　(M)動力車

▼付属編成

11	12	13	14	15
クハE230	モハE230	モハE231(M)	サハE231	クハE231

TOMIX のE231系セットで…
15両フル編成を組む

「基本セットA」は動力車を含む4両で構成される。次に加える「増結セット」には2階建てグリーン車が1両入っており、「基本セットA」を組み合わせて10両の基本編成が楽しめる。「基本セットA」と付属編成の「基本セットB」、増結セットを加えると15両フル編成が完成だ。

JR E231-1000系電車(東海道線・更新車)基本セットA(4両セット/M付/¥17,050)

JR E231-1000系電車(東海道線・更新車)増結セット(6両セット/¥17,380)

JR E231-1000系電車(東海道線・更新車)基本セットB(5両セット/M付/¥20,570)

※写真は旧製品。2023年リニューアル製品発売予定。

E231系(東海道線・湘南新宿ライン)の15両編成図

▼基本編成

1	2	3	4	5	6	7	8	9	10
クハE230	モハE230	モハE231	サロE230	サロE231	サハE231	サハE231	モハE230	モハE231(M)	クハE231

基本セット　増結セットA　増結セットB　(M)動力車

▼付属編成

11	12	13	14	15
クハE230	モハE230	モハE231(M)	サハE231	クハE231

置くだけなのに…何だかスゴイ！

置くだけで“らしく”見えてくる。お座敷運転なのに、鉄道情景が楽しめる。
「ウソッ」だって思う前に並べてみよう！
こんな豊富に、バリエーションが揃うストラクチャーはぜひとも導入したいアイテム。
リビングが「スゴイ！」ことになること請け合いだ。

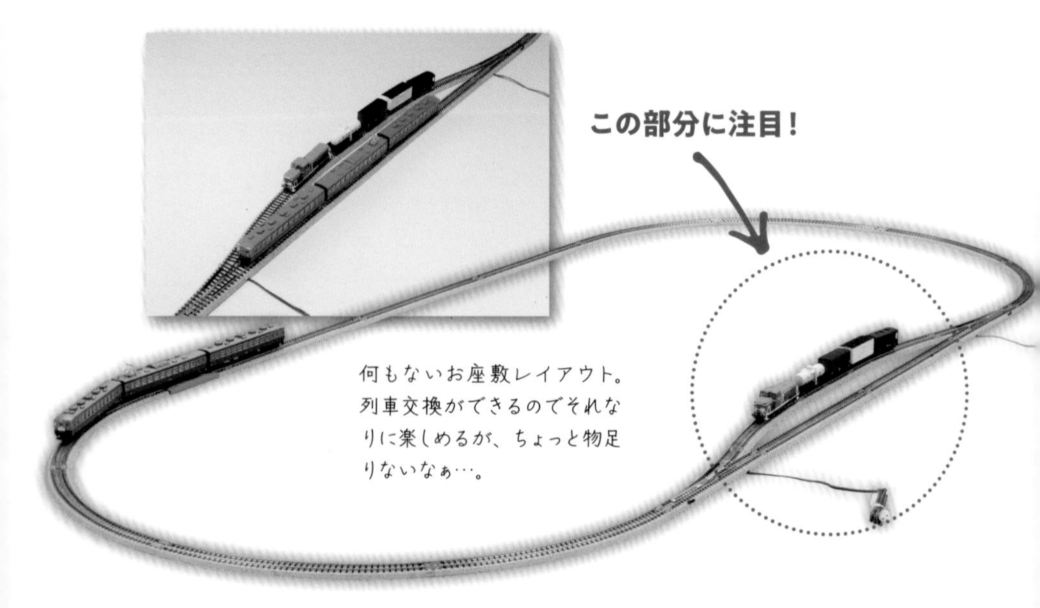

何もないお座敷レイアウト。列車交換ができるのでそれなりに楽しめるが、ちょっと物足りないなぁ…。

悩まずに“風景”への第一歩を

入門セットやレールセットでエンドレスを組むだけで、運転の楽しさは充分堪能できる。「でも、何かが足りない！」そう、風景だね。

車両を増やす、線路を拡張する。考え方はいろいろだけど、Nゲージの醍醐味ってやっぱりジオラマなんじゃない?って思う…。

だけど“ジオラマ”って、考えすぎると手も足もでないでしょ。そこで、置くだけで“ジオラマ風”な、お気楽テクにトライしよう。

といっても、実はストラクチャーを並べるだけ！なのに結構“雰囲気”が楽しめる。

リビング全体がジオラマに？

では、さっそく駅周辺を中心に街をつくってみよう。

まずはホームや駅舎を置く。「うん」いいね。で、駅前の商店街をつくり、ビルを並べれば、あっという間に賑やかな街の出来上がり！

ここでは、エンドレスのごく一部、駅と駅前のみのアレンジだけど、エンドレス全体に、ガソリンスタンド、コンビニ、ファミレスといったアイテムで街を広げ、クルマやフィギュアを配置すれば、リビング全体が楽しいジオラマになる。

Step1 駅部分にポイントがあると、列車交換ができて運転も楽しい。

Step2 まずは駅を設置。線路の分岐側を待避線の設定にすれば、プラットホームは片側で充分。

Step3 商店街やバス停を設置。トミーテックのジオコレなら、建物類も安く揃えられる。

Step4 さらにビルを！「値段が張るなぁ」と思ったら、プラ板やボール紙の代用でもサマになる。

完成！

駅前にバスやタクシー、道路上には色とりどりの乗用車やトラックを並べれば、とてもお座敷レイアウトとは思えない。

駅舎右側から覗けばこれまた違う景色が出現。これこそがジオラマの醍醐味。

駅の反対側から眺めると街を行き交う車たちが見え、街の印象はがらりと変わる。

写真◎米山真人

モデル・セットアップ術

ディテールを構成するパーツ類が選択式になっているNゲージモデルは、好みの車両に仕立てる楽しみがある。慣れるまでちょっと面倒だが、パーツを付けるだけで見栄えも向上し、それ以上に愛着もひとしおになるので、ぜひチャレンジしてみよう。

パーツを付けてグッと本格派に

Nゲージモデルには、細かなパーツ類がユーザー取り付けになっている製品がある。その大きな理由は車番や走っていた時代を選べるようにするため。同じ車両でも時代や地域の設定を変えられるのは、ありがたい配慮といえる。

もうひとつには組み立てコストの低減という側面がある。細かなパーツは、工場でもひとつずつ取り付けねばならず、製品価格にも反映する。最近は装着済みの製品も増えてきたが、自分の手でパーツを付けることで「模型」を身近に味わうのもいいものだ。

電車のパーツ付け

近年、別付けパーツは少ないが、TOMIXのハイグレード仕様製品では細部を選択式にし、こだわりの姿に仕立てられる。そのパーツ付けをTOMIXのクハ455を例に紹介する。

※写真の455(475)系は旧製品ですが、現行品でも基本的な構成・構造は同じです。

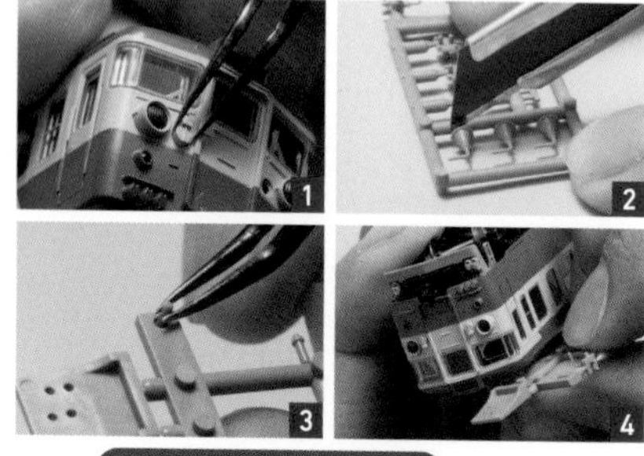

前面パーツの取り付け

❶タイフォンは4種類からの選択式。ランナーから切り出し、穴にはめ込む。前面の後退角に合わせてパーツに左右があるので、間違えないように注意。❷検電アンテナも選択式。ランナーの隙間が小さい場合は、よく切れるカッターで切り出し、屋根上の所定の穴に取り付ける。❸小さな信号炎管はランナー端の治具を使う。まずはピンセットで治具に逆さに載せる。❹車体を逆さにし、治具に載せるようにパーツをはめ、上向きにして治具で押し込む。

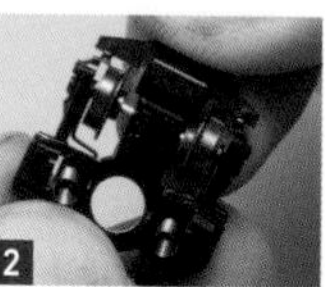

床下パーツの取り付け ❶先頭車の台車にはスノープラウが装着可能だ。まずは+ドライバーで台車を外す。集電バネの紛失に注意。❷ランナーからスノープラウを切り出し、台車の取り付け穴に装着。取り付けたら台車を床板にネジ止めする。❸車体から床板を取り出し、トイレ・洗面所流し管かトイレタンクを溝に装着。時代によって付いていたものが異なるので選択式で対応する。

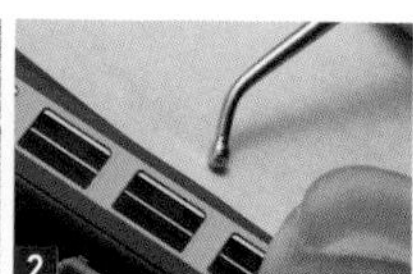

インレタを貼る ❶貼り付け部をきれいに拭き、説明書を参考にインレタを置き、上からバーニッシャーや爪楊枝などで軽く擦る。力を入れ過ぎると文字が割れたり、形がゆがんだりする。❷インレタが転写できたら、保護台紙をあててさらに擦ってしっかり貼る。失敗した場合は、セロハンテープを上に貼り、剥がす。

いつもベストコンディションで運転を楽しむためのメンテナンス

Nゲージ車両を長く楽しむためには、日ごろのメンテナンスは欠かせない。簡単なメンテナンスを心がけるだけで、いつまでもスムーズな走りが得られるだけでなく、車両もきれいに保てるので、今すぐはじめてみよう。

まず、気をつけたいのがケースからの車両の出し方。ブック形ケースは、凹みに指を差し込んだり、車端部を持ち上げたりしてから取り出すのだが、単品のケースの場合は、ケースを傾け、自重で出てくるところを手のひらで受け取る方法が、車体を傷めずにいいとされている。

また、車体をきれいに保つこと以上に重要なのが、車輪とレールのクリーニング。レールを流れる電気は車輪を介して、モーターや照明装置に伝わる。そのため、接点であるレール表面と車輪が汚れていると集電がうまくいかず、走りがギクシャクしたり、ライトや車内灯がチラチラしたりする。

そこで、運転前や運転後に、動力車を中心に各車両の車輪とレール面の掃除をおこないたい。最初に歯ブラシで台車周辺（主に動力車）に付着したゴミを払い落とし、次にクリーナーを少量つけた綿棒で、車輪一つひとつをていねいに拭く。

なお、動力車の車輪を拭くときは、一部の車輪に付けられたゴムタイヤはクリーナーの付いた綿棒で拭かないようにしたい。

こうした日ごろのメンテナンスが、スムーズな走行を約束し、車両やレールを長持ちさせるのだ。

車両ケースからの出し方

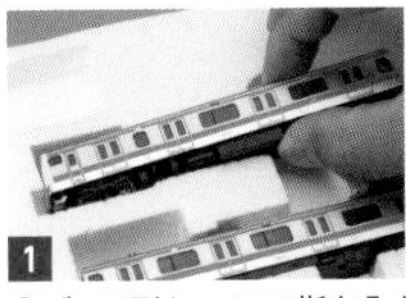

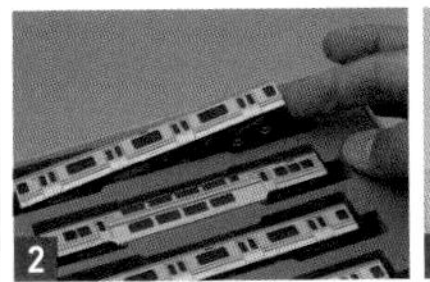

❶ブック形ケースで指を入れる凹みがあるときは、そこに親指と人差し指を入れ、2本の指ではさむように持ち上げる。❷車体の上下に凹みのないケースでは、車両の妻面側から指先で軽く持ち上げ、車両が浮き上がったところから引き出す。❸単品ケースでは、ケースを傾け、もう一方の手のひらの上に載せるように車両を出す。ケースに入っている透明なセロファンやエアキャップは、車体を保護する効果があるので、捨てずに使おう。

歯ブラシで車輪周辺のホコリを拭く

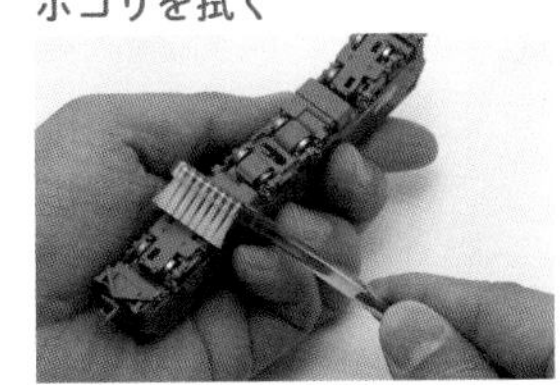

動力車の台車はギアのグリスやオイルによりホコリやゴミが付着する。このホコリやゴミを乾いた歯ブラシで拭き取る。歯ブラシはきれいであれば使用済みのものでもかまわない。

クリーナーをつけた綿棒でレール面をきれいに

❶クリーナーを少量つけた綿棒で、運転前か後にレール面をていねいに拭こう。レール面が汚れていると集電効率が悪くなり、走りがギクシャクする原因となる。❷ポイントなどの細かい部分は、クリーナーを少量付けた細い綿棒でクリーニングする。可動部を拭くときは力を入れすぎて、壊さないように注意したい。

こびりついた汚れは綿棒でていねいに拭く

レールと常に接する車輪の踏面とフランジの付け根には、走行時に生じる火花により汚れがこびりつく。そこで、クリーナーをつけた綿棒で車輪一つひとつをていねいに拭く。

ストラクチャーを使って
ジオラマに表情を出そう！

Nゲージを引き立てる名脇役となるさまざまなストラクチャー。
建物、車両、人物、樹木などカテゴリーごとにいろいろなバリエーションがある。
要所要所にうまく活用すれば、鉄道模型の楽しみがもっと広がるぞ。

ストラクチャーを上手に使う

車両とレールさえあれば、走らせるだけでも結構楽しいNゲージ。さらに、そこにストラクチャーを加えるだけで、また違った世界が広がってくる。

ストラクチャーを使うなら、ジオラマをつくらなければ…と思うかもしれないが、お座敷レイアウトに置くだけでも立派な情景が獲得できる。

KATO、TOMIX、グリーンマックスなど、各メーカーからさざまざまな製品が発売されているので、自分がつくり出したい鉄道シーンに合わせて、チョイスしていくのも楽しい。

置くだけの情景づくりに飽き足らなくなったら、そこではじめて本格的なジオラマ製品にチャレンジしてみよう。

ジオラマにさらに広がりを与えよう
鉄道施設

駅舎だけでなく、詰所、車庫、信号機、踏切、鉄橋など、鉄道を形づくる施設を配していくと、さらに実際の鉄道に雰囲気が近づいてくる。一番効果的に使えるストラクチャーだ。

駅前広場などに欠かせない乗り物たち
車

建物の周辺に乗用車やバス、トラックなどがあると情景にさらにリアリティが増してくる。乗用車、緊急車両、時代を感じさせるオート三輪など、設定にあわせて使い分けよう。

街に動きを出すために不可欠なアイテム
フィギュア

無機質になりがちなジオラマも、人を配置することで街が生き生きとして活気づいてくる。普通に歩く人だけでなく、祭りや結婚式などいろいろな状況に合わせた人間セットがあり、見ているだけでも楽しい。

いろんな建物を使って自在に街づくり

ビル

オフィスビルはいくつか種類が出ている。組み合わせを変えることで大都市の賑やかな駅前から小さな駅のひなびた駅前まで、いろいろな情景が再現できる。

温かみのある情景を生み出そう

住宅

戸建て住宅、アパート、団地、マンションなどいろいろなバリエーションがある住宅。新興住宅街から懐かしい団地風景まで自分好みの街をつくりだそう。

街道のワンポイント

ガソリンスタンド

車を配置したジオラマならぜひ加えたいのがガソリンスタンド。ブランド名が書かれたサインボードやのぼりまで用意されており、リアルな質感が再現されている。

駅前、郊外どこにでも置ける

ファミリーレストラン

今のライフスタイルには欠かせないのがファミリーレストラン。駅前、街中、街道沿いなど、配置できる場所はたくさんある。今風の街をつくるなら必携だ。

生活感を生み出すアイテム

商店

駅前にはつきものともいえる商店街。活気がある商店街をつくり出すか、さびれた商店街にするかは自分次第だ。

風景を彩る自然の風物

樹木

人工的な構造物だけを使うのではなく、自然の風物を取り入れるとより豊かに情景を表現できる。樹木は置くだけで効果を発揮するのでぜひ使ってみたい。

（写真◎トミーテック）

column

飾るだけでも満足！
鉄道コレクション

ディスプレイモデルとして販売されているトミーテックの鉄道コレクションシリーズ。Nゲージとして製品化されにくい私鉄の車両やラッピング車、路面電車などが充実。飾っておくだけでもいいが、専用の動力ユニットを使えば走行化もできる。

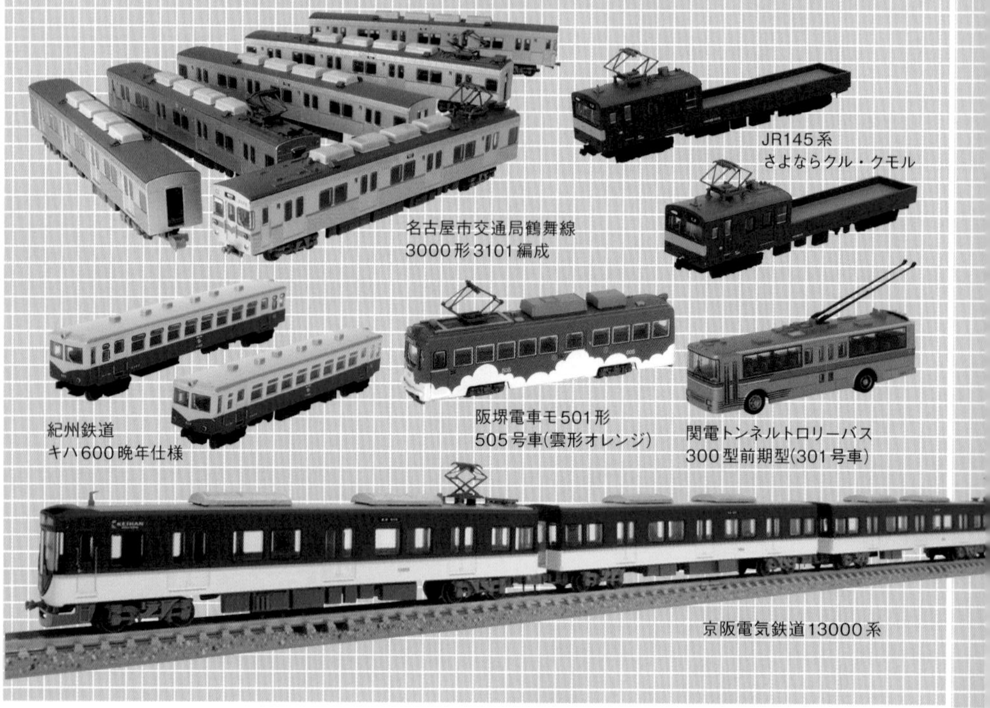

名古屋市交通局鶴舞線
3000形3101編成

JR145系
さよならクル・クモル

紀州鉄道
キハ600晩年仕様

阪堺電車モ501形
505号車(雲形オレンジ)

関電トンネルトロリーバス
300型前期型(301号車)

京阪電気鉄道13000系

懐かしいけど新しい

ノスタルジック鉄道コレクション

“ノス鉄”の愛称で呼ばれる新シリーズ。プロトタイプがありながらも、フリーランスのモデルとして遊べる、どこか懐かしい匂いがする車両たちだ。そのままでも、自分なりに改造してアレンジしてもいいので、自由に楽しんでしまおう。

富井電鉄 ディーゼル機関車(左)、富井化学工業 ディーゼル機関車(右)

富井電鉄 キハ90形

富井電鉄
キハ200形

富井電鉄 ジハ30形(左2両)、ハ30形客車(右2両)

運転をより
おもしろく!

走行シーンを彩るアイテム

入門セットのエンドレスでは飽き足らなくなったら、
次に揃えたいのが「運転を盛り上げる線路や施設」。
どんなシーンにどんなアイテムが向いているのか考えてみよう。

文◎児山 計　写真◎金盛正樹(特記以外)

エンドレスからの脱却
線路を使いこなす！

**入門セットはＮゲージをはじめるための最低限の要素しか入っていない。
さらに遊びを発展させるには、シーンに合わせて拡張できるアイテムが必要になる。**

コレクションから考えよう

スターターセットにはエンドレスが組める線路が付属するが、同じ線路をぐるぐる走らせるだけではだんだん飽きてくる。

そこで、自分がどんな遊びかたをしたいのかをしっかり考え、その目的にかなった線路・アクセサリーを買って拡張していこう。

たとえば、車庫をつくりたければ複数のポイントが必要になり、それが電動ポイントならそれを制御するコントローラーも必要になるだろう。蒸気機関車ならばターンテーブルを使うのもおもしろい。新幹線なら高架線を走らせたくなるかもしれない…。

それらを限られたスペースに組み込むならどのようなプランを組むべきか、手持ちの車両を最大限に活かして「やりたいこと」「やれること」を考えてみよう。

まずはエンドレスの一部分から

線路を拡張したりアクセサリーをエンドレスの全区間に設置するにはたいへんなお金がかかる。たとえばポイントは1基で2000円近くするので、数が増えれば結構な額になる。

そこで、レイアウトでエンドレスの一部分だけの拡張にすれば、少ない予算で楽しさを広げられる。例をあげると、駅の出発信号機だけを立ててみたり、ポイント1基の先にターンテーブルをつなげるなどだ。

基本的には踏切やターンテーブルなど、比較的大きめのアイテムを中心に据えて、次の段階でそのまわりを飾っていくとインパクトのある風景になる。「まず中心に据えるものを考えて、それを盛り上げていくようなイメージ」で構築してみよう。

限られた予算で遊ぶ楽しさを最大限に引き出すのもまた、鉄道模型のおもしろさなのだ。

部分活用のススメ

信号機や踏切といったギミック系のアイテムは、レイアウト全体に散らばせるよりも1か所にまとめて配置したほうがメリハリがつく。

最初は駅のまわりだけに配置し、予算に余裕ができたら順次ほかのところに取り付けていけばいいだろう。

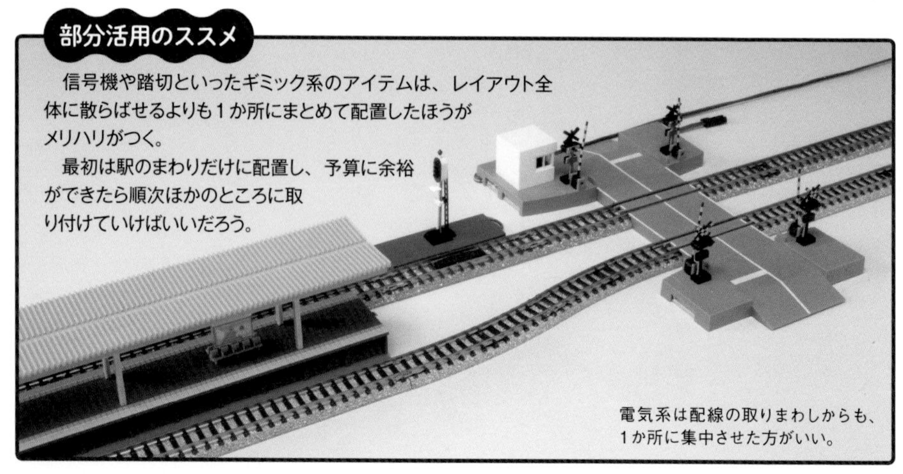

電気系は配線の取りまわしからも、1か所に集中させた方がいい。

1

車庫を使う

最近はTOMIXの「車両基地レールセット」やKATOの「貨物駅プレート」のようなセットも発売されているので購入を検討してもいいだろう。

電車、気動車、貨物列車など、車両に合わせた車両基地を構築してみよう。

ポイントを使って車庫からの出入りを再現しよう。

ギミックに凝る

LEDの普及で最近は「光り物」の製品が充実している。列車の動きに合わせて光を明滅させるとレイアウトに動きが出るのは間違いない。駅や建物に灯りを仕込めば夜景も楽しめる。

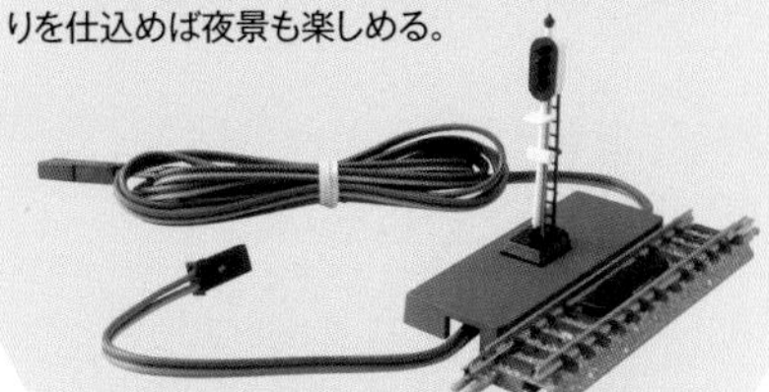

駅に信号機を設置するだけでも、雰囲気はぐっとリアルになる。

3

変わった線路を使う

特定の役割を果たす線路の追加もおもしろい。ターンテーブル、貨物列車なら解放ランプレール、路面電車ならトラムレール、車庫の検査線用にピットレールなどさまざまな線路があるので使い道を考えてみるのもいいだろう。

蒸気機関車で遊ぶならターンテーブルは入手したい線路のひとつだ。

立体交差

新幹線は高架複線を走らせることで魅力が何倍にも増すのだ。駅はとりあえずなくてもいいので、新幹線が高架線を走る下で在来線を運転して立体的な展開を楽しんでみよう。

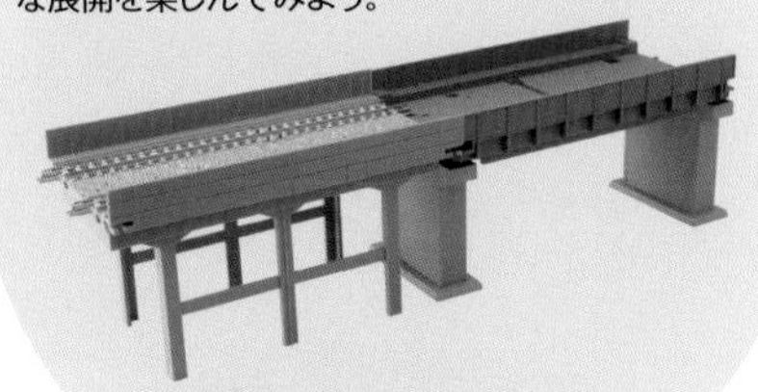

高架線路を有効活用してみよう。

自動運転

TOMIXの自動運転システム「TNOS」は完全な自動運転のほか任意の列車を手動で運転することで実車さながらのダイヤ運転を楽しむこともできる。運転派ならば一度は試してみてほしいところだ。

導入のハードルはやや高いが、複数の列車を本物のように走らせられる。

高架駅

どうしても大規模になりがちな高架駅だが、近代的な風景を演出するなら使わない手はない。線路の引きまわしや有効長の確保に工夫は必要だが、それを含めてうまく高架駅を圧擁する方法を考えたい。

都会の長編成だけでなく、近代的なローカル線も高架駅が意外と似合う。

蒸気機関車を楽しむ

蒸気機関車を走らせるには「方向転換」というほかの車両にはない作業が必要となる。鉄道模型でもこれを取り入れた遊びをしてみたい。

面倒だからおもしろい

蒸気機関車は一部タンク車をのぞいて、終点に着いたら方向転換をして折り返す。

ターンテーブルはKATO、TOMIXの双方から発売されており、電気配線に多少の知識はいるものの、導入そのものは難しくない。

ターンテーブルの利点は、比較的狭いスペースにたくさんの機関車を収容して、それらを取り替えながら遊べる点だ。うまくすれば畳1枚のスペースで10両以上の機関車を出し入れできるのだ。

ターンテーブルで方向転換は容易になるが、反対側に機関車をつなげるためにはエンドレスを1周しなくてはならない。

そこでレイアウトには機まわし線を設けよう。これはポイントがふたつあれば可能だ。機関車を転回して、機まわし線を通して反対側に機関車をつなげる。

機関区を盛り上げる

蒸気機関車は一定の距離を走ったら給水しなくてはならない。また、次の仕業までには石炭をテンダーに積んで万全の準備をする必要がある。

さらに入庫してきた機関車はアッシュピットからシンダ(石炭の燃えカス)を捨て、洗缶をして整備しなくてはならない。こういった設備をターンテーブルのまわりに集めるととても盛り上がってくる。

ターンテーブルは持っている線路と同じメーカーのものを買うのが鉄則だ。●KATO

ターンテーブル

ターンテーブルは専用のコントローラーで操作する。とはいえ難しいことは何もなく、機関車がターンテーブルに乗ったことを確認したら、回転したい方向へレバーを倒すだけだ。停止位置は機械が合わせてくれるので、止めたい位置になったらレバーを中立に戻すだけ。

ギャップを切る

ターンテーブルは車両を回転させるのが目的だが、180度回転すると電気のプラスとマイナスが入れ替わってしまいショートしてしまう。そこで本線とターンテーブルの間でギャップを切って、電気的に絶縁する必要があるのだ。レイアウトプランを考えるときは必ずギャップレールの挿入(KATOの場合はギャップジョイナーに取り換え)を忘れないようにしよう。

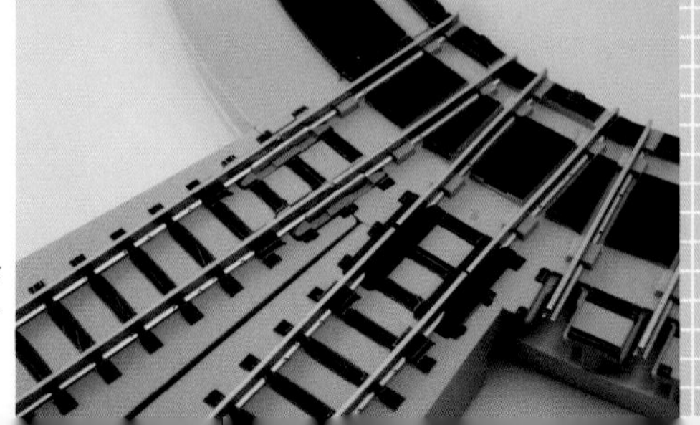

すれ違い運転でよりリアルな鉄道シーンを再現。EF65、E233系●ともにKATO

また、KATO、TOMIXの両製品は国鉄の大型テンダー機関車が使うことを前提にしたかなり大きなターンテーブルだ。もしタンク機関車が中心の小さな鉄道やローカル線をやりたいのであればターンテーブルは小型のものをチョイスしたい。

以前トミーテックからは手動の小型ターンテーブルが発売されていた。在庫や中古で手に入るならこちらが断然雰囲気に合うだろう。

SLを盛り上げよう

機関庫には石炭を補給する給炭ホッパー、水を補給する給水塔、車両を検査するための機関庫、石炭の燃えカスを捨てるアッシュピットなど蒸気機関車ならではの設備がある。これらのストラクチャーはサードパーティも含めさまざまな種類の製品が発売されているので、雰囲気にあったものをあつらえよう。

ターンテーブルを設置するなら扇形庫はぜひほしいアイテム。線路を引き出して給炭ホッパーを横に置くのもいい。蒸気機関車にはなくてはならない設備だ。

気動車やディーゼル機関車を扇形庫に収容すると、SLオンリーとは違ったにぎやかさになる。

SL以外も置こう

動力近代化の端境期には機関庫にディーゼル機関車や気動車も蒸気機関車と一緒に収容されていた。また、電車や気動車でも方向転換が必要な際はターンテーブルを使って転向することもあった。

おすすめプラン

ターンテーブルと機まわし線をセットにして畳1枚にまとめてみた。本線は客車4両分の有効長を確保。これで機関車を切り離し、ターンテーブルで転回後、反対側の客車に連結する一連の遊びが可能となる。

本線・副本線のほか車庫線を1本追加したのは機関車だけでなく客車の入換も楽しむため。本線機関車をターンテーブルにしまったら、入換機を出庫して客車を入れ替える遊びも可能だ。

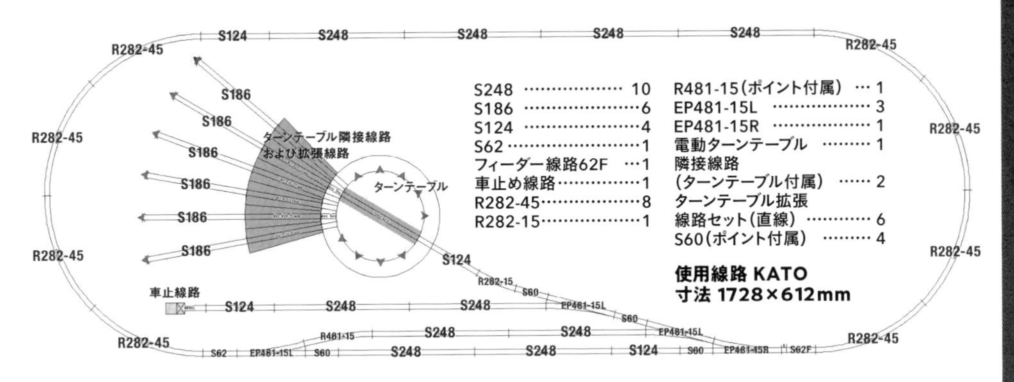

ターンテーブルの車庫は6線用意したが、あと9線追加可能だ。

車両基地をつくる

電車を出し入れするなら車両基地がおすすめ。
特急列車や普通列車を入れ替えて楽しんだり、増結や分割を楽しんでもいいだろう。

エンドレスの内側を埋めよう

鉄道模型でもターミナルをつくって始発駅から終点駅までという実車に即した運転をしてみたくなるが、スペースがある程度ないと複数の駅を設置するのは難しい。

そこで提案したいのが電車区への入出庫だ。

車庫に4～5本の電車を止めておき、運用を決めて車庫から指定の電車を出し入れする。少し発展して車庫内だけで完結する遊び、たとえば定期検査のために車庫線から工場線に入れ替えたり、出庫の際に車庫線からいったん洗浄線を通って本線に出る。そんな「行ったり来たりの運転」も楽しいだろう。

スペース的には1畳サイズのプランでエンドレスの内側に車庫をつくるとなると、ポイントで分岐するたびに248～280mmを消費してしまうため、対角線一杯にとっても4両がいいところで、2～3両の列車をメインに遊ぶことになる。

ポイント操作を誤らないために

車両基地は車両が増えるとそれに比例してポイントが増えていく。特に電動ポイントにするとポイントを遠隔で操作するため、どのポイントがどのように切り替わっているかの把握が難しくなり、動くはずの列車が動かなかったり、思わぬ列車が動いたりして事故の元となる。

もちろん列車の運転には万全の確認を持って臨みたいところだが、アクシデントを少しでも防止する手段としてLED付きエンドレールと常点灯システムの組み合わせは有用だ。

LED付きのエンドレールはレールに電気が流れているとLEDが点灯する仕掛け。そこで常点灯状態でポイントを切り替えれば、どの線路に通電しているのかが目視できる。

洗車のための転線や入れ換えといった遊び方もできる。左から7700系、1000・1200系パノラマsuper、2000系ミュースカイ●すべてグリーンマックス

車両基地レールセット

TOMIXから発売されている「車両基地レールセット」は、5線分の車庫線と車庫周辺のアクセサリーがセットになったもの。線路配置の工夫で複線間隔を通常の37mmより狭めているので車庫の密集感が演出できる。延長セットを買えば長編成も対応する。

車庫で入れ換えをしてみよう

手前に止まっている電車をいったん本線側に出す。この電車はこれから洗車するために転線するという設定。

ポイントを切り替え、無事入場。まもなく仕業を終えて入庫してくる列車がやってくる。

ポイントを切り替え本線からの列車を収容。

別の列車を今度は本線へ出庫。列車が動くたびにポイントが切り替わるのがこのレイアウトのおもしろさだ。

おすすめプラン

TOMIXの車両基地レールセットとほぼ同等の構成（35mmレールのみS33で代用）で組んでみた。本線上もただ1列車が走るだけではつまらないので交換可能としている。

畳1枚という制限を付けたので車庫の有効長は2両分程度しかないので、スペースに余裕があるのならエンドレスを拡大して対応してほしい。

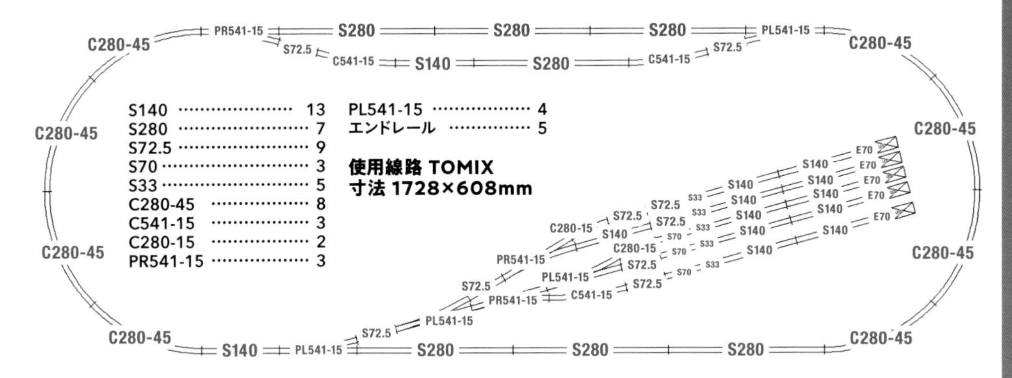

構内のポイント4基を操作するには電動ポイントが便利。切り替えミスには十分注意したい。

貨物列車で遊ぶ

長編成の貨物列車は自宅で遊ぶには荷が重い。
貨物列車のエッセンスを抽出して家で楽しく遊ぶ方法を考えてみよう。

妥協とエッセンス

貨物列車といえば力強くコンテナを牽引する長大編成が魅力、という人も多いだろう。しかしたとえばコキ100系を24両つなぐとNゲージでも全長3m近くになる。これは新幹線の16両編成よりも長いので限られたスペースで遊ぶには無理がある。

そこで「貨物駅の喧騒」を導入することを提案したい。貨物駅にコンテナ列車が入線すると、積んできた荷物をフォークリフトやトップリフターで降ろしてトラックに載せ、トラックで運ばれてきたコンテナを新たに積載して列車を仕立てている。

Nゲージではコンテナの積み下ろしを自動でやるのはさすがに無理なので、貨物列車の入れ換えにスポットを当てて遊んでみたい。

これならコンテナが4両程度でも、雰囲気を損ねず楽しめる。

想像力で貨物駅をつくろう

KATOから発売されている「貨物駅プレート」。これは貨物列車の発着線2本とそれに付帯するアクセサリーがセットになったもの。このセットにコンテナを積んで、トレーラーやフォークリフトを配置すれば手軽に貨物駅の雰囲気が出せる便利なものだ。

TOMIXならトラムレールを使って同じような雰囲気を再現できる。トラムレールを必要な長さだけ複線で敷設し、両脇にバスコレ走行モジュール用の道路を敷設する。これで両脇にコンテナを並べれば貨物駅になるのだ。

周囲のアクセサリーには詰所や貨物駅のビルなど「これだ」というストラクチャーを並べよう。

また、貨物駅で入れ換えをするなら自動解放連結器の導入も検討してみてはどうだろう。メーカーごとに仕様が異なるため、機関車を単一のメーカーでそろえなくてはならないが、自動解放のおもしろさを堪能できる。

貨物駅のアクセサリー

30ft以上のコンテナを載せるトップリフター。隣にトレーラーを配置するとそれらしくなる。

貨物駅には山のようにコンテナが積んである。模型のコンテナは結構高価なのでたくさん積むにはコストかかるのが難点。

12ftコンテナを載せるフォークリフト。たくさん配置すると貨物駅らしさが出せる。

最近は国際コンテナ対応の大型トレーラーも多数見かける。トラックやトレーラーは何台あっても足りないということはない。

コンテナの発着を再現してみよう

奥の線路にコンテナを満載した貨物列車が到着。手前にはこれからコンテナを積むコキが停車中。

トップリフターでコンテナを降ろしてトレーラーに積み替える。

奥のコキからはどんどんコンテナが下ろされ、反対に手前のコキにはコンテナが積載されていく。

牽引する機関車が連結されて荷役作業の終わった列車が発車する。

自動で解放する

機関車の付け替えを手を使わずにやりたいならMカプラーやマグネマティックカプラーを使うのがおすすめ。

しかしTOMIXとKATOで互換性がないため、両方の機関車を使う場合はアダプターレールを使用して双方の解放線路を取り付ける必要がある。

TOMIXの解放ランプ付レールを使えば、Mカプラーを装着した機関車から貨車を自動で切り離すことができる。写真では線路に仕込まれた磁石によって機関車のカプラーが上に持ち上がっているのがわかる。写真◎米山真人

手軽に貨物駅を楽しめるKATOの貨物駅プレート。

コキ4両分より長い編成で遊びたい場合は延長パーツを用いる。延長パーツの長さは158㎜×2。コキ車なら2両分の長さだ。

貨物駅プレート

KATOの貨物駅プレートは複線間隔を25mmにした貨物ホームのセット。基本セットのみで4両程度の貨物列車2本を収容できる。延長セットには貨物列車2両分のパネルが入っており、基本セットに付け足して使用する。縦方向だけでなく横方向にも拡張可能だ。

自動車は最後部からスロープを用いて乗せていた。この際自動車のカバーはかかっていないのが望ましい。写真◎米山真人

ク5000用パーツ

KATOは貨車のラインナップに車載車のク5000を用意しているが、貨物駅プレートにはク5000用の自動車搭載用スロープが付属する。雰囲気を盛り上げるアイテムとして有用だ。

おすすめプラン

KATOの貨物駅プレートを念頭に置いたプラン。貨物駅には推進運転で入ることになるが、その際本務機でなく入換機に機関車を付け替えて進入できるよう、機関車用の引き上げ線を1本用意した。

また、機関車の機まわしも同時に楽しめるよう機回し線も組み込んだ。いろいろな入れ換えのパターンを構築して遊んでみよう。

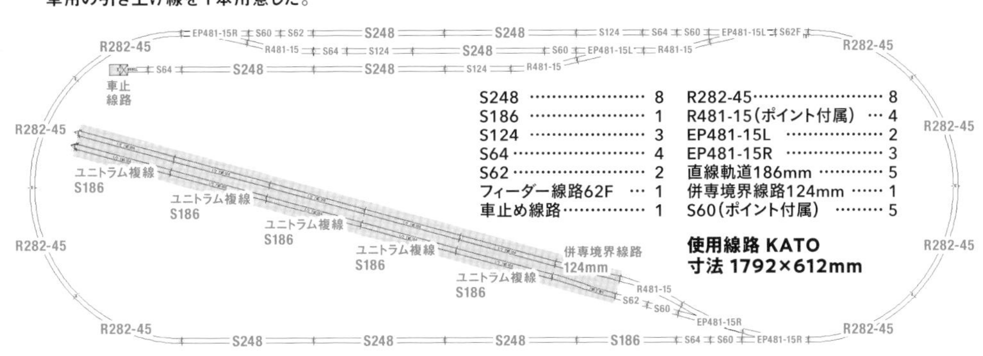

高架線を活用しよう！

**新幹線や通勤新線など、高架線で走らせたい車両は多い。
しかし、限られたスペースで高架線を使うにはある程度の割り切りが必要だ。**

勾配を避ける

高架線は地上に線路を敷く場合よりも制約が大きくなる。

たとえばポイント。地上であればポイントの設置位置に制限はない。しかし高架線となると組み合わせる高架橋の形状に依存し、特殊なポイントの使用は難しい。KATOのユニトラック4番ポイントのように特殊な線路を使う場合も同様だ。

また、立体交差を楽しむ場合は勾配の制限もある。地上から高架へのアプローチには緩い勾配が必要となるが、そうなると勾配ばかりのジェットコースターみたいなレイアウトになってしまう。

そこで高架線を使う場合はいくらかの割り切りが必要となるのだ。

高架駅を使う

高架駅は組み込みが難しいが、スペースに余裕があるなら魅力的なアイテム。新幹線に限らず京葉線や埼京線のような通勤新線にも映える。

また富山や前橋などのように地方都市の玄関口となる駅でも高架駅は見かける。実はローカル列車にも似合うのだ。

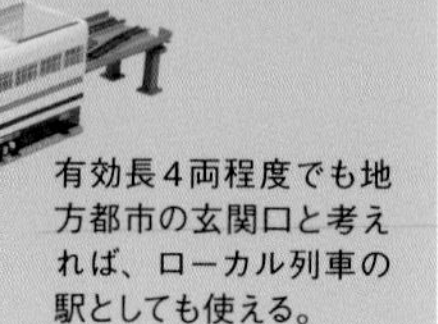

有効長4両程度でも地方都市の玄関口と考えれば、ローカル列車の駅としても使える。

上下で線路を分ける

たとえば新幹線を走らせたければ高架線は地上線と接続せず、独立したエンドレスとしてしまう。地上は在来線専用にして線路を物理的につなげないのはひとつの解決策だ。

この場合、どうしても大きく長くなる新幹線の高架には駅をつくらない。なぜなら家庭の限られたスペースで駅を設置するのは無理があり、かつ発車したらすぐ次の駅というのも新幹線らしくない。

新幹線の高架には駅がなくても地上の在来線には駅があるというのはまったく不自然ではない。これもひとつの遊びかたなのだ。

おすすめプラン1

8の字レイアウトプランを畳1枚で納めるのは難しい。例ではユニトラックを使っているが、勾配は40～45‰とかなりきついうえに、線路の大半をアップダウンにとられているので2両分ほどのホームしか置くことができない。

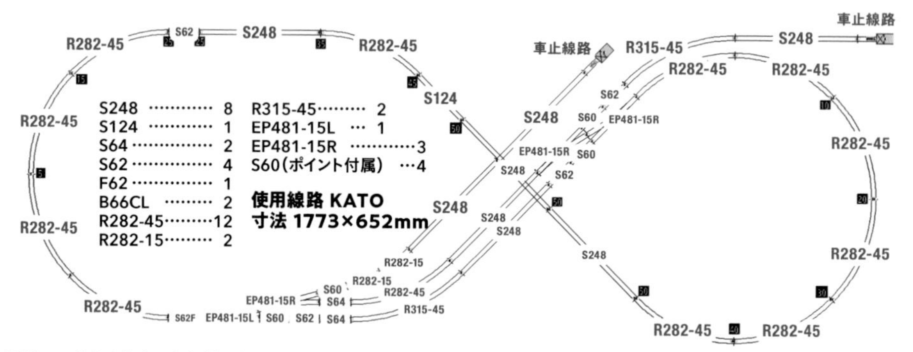

白抜き数字は高架橋の高さ。最大勾配は約45‰とかなり厳しいが、それでもスペースの大半をアップダウンに取られてしまった。

おすすめプラン2

高架線の問題はとにかく勾配。狭いスペースに線路を敷く場合はどうしても地上と高架のアプローチに距離を使ってしまう。そのためホームの設置場所に困ることもある。

ひとつの解決法としてトミーテックの曲線ホームを活用するとか、走らせるのを単編成の車両に限定するなど、運用で工夫することもできる。

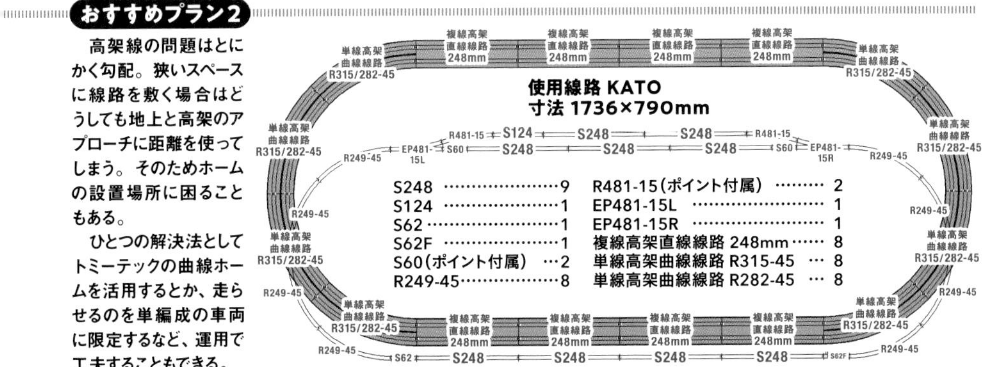

高架は複線にして新幹線をイメージ。地上を在来線が走る。駅は在来線にしかないが新幹線の駅はこのスペースならない方がいい。

おすすめプラン3

高架線の活用手段として、限られたスペースで走行距離を伸ばすのは有効だ。エンドレスを途中で立体交差させる変形8の字プランは、高架線の勾配も比較的緩く取れる。

作例では勾配を約23‰でつくってみた。これならTOMIXやKATOの新幹線も走ることができるだろう。

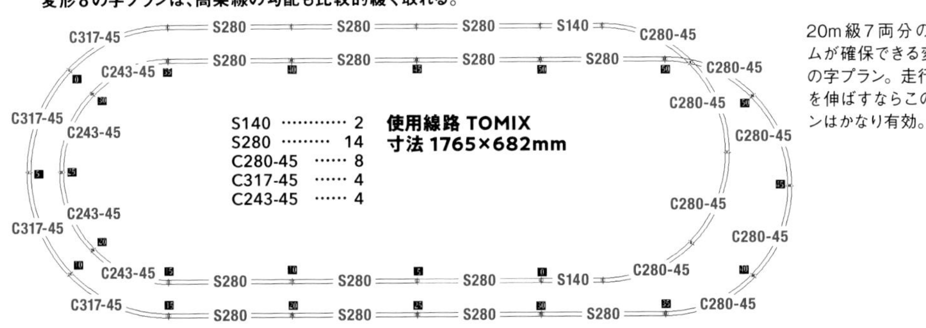

20m級7両分のホームが確保できる変形8の字プラン。走行距離を伸ばすならこのプランはかなり有効。

おすすめプラン4

第3セクターのローカル線には、井原鉄道やほくほく線のような高規格単線の路線もある。そういった路線であれば駅の有効長も短く済むので、旨くすれば地上線のアプローチを入れたレイアウトも可能だ。また、ジオコレの宇津井駅もローカル高架駅として有用だ。

左／大都市の入り組んだ線路をイメージするのにも高架線は有用。短編成なら割り切って急勾配で地上とアクセスしてもいい。323系●KATO

右／高規格ローカル線の高架を単線デッキガーダー橋を使って再現。北越急行HK100●トミーテック

高架駅は4両分の有効長があるが、もっと詰めてもいいだろう。地上の駅はJRとの連絡駅をイメージしてもいい。

使用線路 TOMIX
寸法 1798×608mm

線路	数量
S140	5
S280	11
S72.5	3
S70	2
C280-45	8
C541-15	2
C280-15	1
C243-45	4
PR541-15	2
PL541-15	2
エンドレールE70	2

信号と踏切

**LEDの普及により恩恵を受けたのが「灯り系の製品」。
レイアウトにこれらを組み込むことで、風景が途端ににぎやかになるのだ。**

音と光はクセになる

鉄道模型のシーンに灯りが明滅し音が出る踏切がひとつあるだけで、急に世界が動き出すから不思議なものだ。

灯りはそこに人の営みがあるから発生する。したがって鉄道模型の世界でも建物や線路設備に灯りがともると急に躍動感が生まれるものなのだ。

また、自動信号機も余裕があったら組み込んでみたいシステムのひとつだ。列車が接点を通過すると自動的に停止信号となり、一定時隔で警戒→注意→減速→進行と変化する。自動で現示が切り替わるの信号は、風景に動きが出るのでお勧めだ。

畳1枚のレイアウトなら出発信号と場内信号、余裕があれば中間地点に閉塞信号の合わせて3基を置く程度で十分雰囲気が出る。

電源容量に気を付けて

LEDの普及により、以前ほど電流量を気にしなくてよくなったとはいえ、コントローラーの定格電流を超えての運転は好ましいものではない。

目安としてはTOMIXの場合、モーター車が0.3A、室内灯が1両0.025A、ヘッドライト／テールライトが各0.06A、信号機が1基0.01A、踏切が0.1Aなどとされている。

自身が使用する灯具の合計が、コントローラーの定格電流を上まわる場合は、もう1台コントローラーを照明専用の電源として用意しよう。オーバーロードは故障の元となるので注意したい。

ポイントがない場所でも出発信号を置くケースがあるので、気にせず出発信号を建植しよう。

信号を1本使うなら

予算やスペースで信号を何本も導入できるとは限らない。1本だけならどこに建てるか。おすすめは駅の出発信号。ホームに合わせて光り物を集中させるとリアル感が増すのだ。

信号の使い分け

TOMIXの場合、色灯信号機のほかに昔使われた腕木式信号機も用意されている。模型の場合機能的に違いがあるわけではないので、走らせる列車や時代、線路条件に合わせてチョイスしたい。

蒸気機関車時代のローカル線なら腕木式信号機はよく似合う。

色灯式信号機と腕木式信号機。シチュエーションに合わせてチョイスしよう。

ホームに灯りを

列車に室内灯を付けたなら次はホームに灯りをつけてみよう。たとえ夜景でなくても駅がしっかりとその存在を主張する。特に島式ホームは屋根に遮られてけっこう暗いため、実物でも日中から明かりをつけている駅もある。

余裕があるなら人形を立てればさらにリアルになる。

路面軌道を使う

路面電車は併用軌道を走るから専用軌道は似合わない、一般車両は併用軌道を走らないもの…。一度この固定観念を頭から取り払って柔軟に楽しんでみよう。

大型車を道路に走らせる

小型の路面電車が多数発売され、バスコレクションや建物など周辺アイテムもラインナップが充実。市街地レイアウトが入門用として最適なほどに品ぞろえがよくなった。

しかしこれだけのシステムを路面電車だけで使うのはもったいない。もう少し視点を広げていろいろな使い道を考えてみたい。

まず思いつくのは、路面電車よりも少し大ぶりの車両を路面軌道に走らせること。有名どころでは名鉄犬山線の旧犬山橋、東急大井町線（当時）の丸子橋、京阪電鉄京津線、近鉄奈良線の油阪付近、山陽電鉄の兵庫〜西代など枚挙にいとまない。

道路の脇に自動車をびっしり配置して、大型車がそろりそろりと通過するシーンは意外性があって実に楽しい。ただし、これらの大型車は路面軌道の小カーブを曲がれないこともあるので、曲線部分は通常のカーブレールを使おう。

車庫や博物館にも

車両基地の一部に路面軌道を使うこともできる。車両の搬入や台車の持ち出しなどをする場合、トレーラーが横付けできる横取線があると便利なので、工場の端に舗装道路にレールが埋まった線路が見られる。

同じように工場内の線路も路面軌道を活用してみてもいいだろう。むしろ工場内の線路はバラスト軌道のほうがありえない選択だ。

また、博物館ではレールがむき出しだと来場者が躓く危険があるため、床材でレール面と床を面一にしている。そのため博物館のジオラマをつくるときにも路面軌道を活用できる。

このように、路面軌道も活用次第でいろいろなシチュエーションで使えることがわかる。実物を観察し「これは使えそうだ」と思ったら積極的に取り入れてみよう。

路面軌道はこういうもの

TOMIX ワイドトラムレール

TOMIXのワイドトラムレールはTOMIXのミニカーブレール規格を軌道にしたもの。したがって複線間隔は37mmで、既存のレールシステムとの親和性もいい路面軌道。ポイントの分岐半径は140mm、十字クロスもあるので分岐や交差を使った複雑なプランを楽しめる。

バスコレとの連携も魅力的なTOMIXのトラムレール。

KATO ユニトラム

KATOのユニトラムはユニトラックを路面電車用にアレンジした線路。最大の特徴は複線間隔が25mmと狭くなっているためリアルな間隔で楽しめる点。また、同社のジオタウンとの親和性も高く、手軽に都市のレイアウトを構築できるプレートも販売している。

複線間隔25mmでコンパクトな街並みを表現する。別売線路で在来線の33mm間隔複線線路との接続も可能。

日本では唯一となった伊予鉄道大手町駅の平面交差をクロスレールを使って再現。独特のジョイント音を模型でも存分に堪能したい。伊予鉄700形、2000形●ともにトミーテック

機関庫や電車庫の一部にトラムレールを配置してみよう。この部分は車両や機器の搬入に使う線路で、トレーラーなどが直接乗り入れできること考えている。演出用としてトレーラーコレクションの車両搬入用トレーラーなどを置いてみてもいいだろう。

機関庫・電車庫など

車庫では一部分が軌道になっているケースは少なくない。キハ02●TOMIX、キハ25●KATO

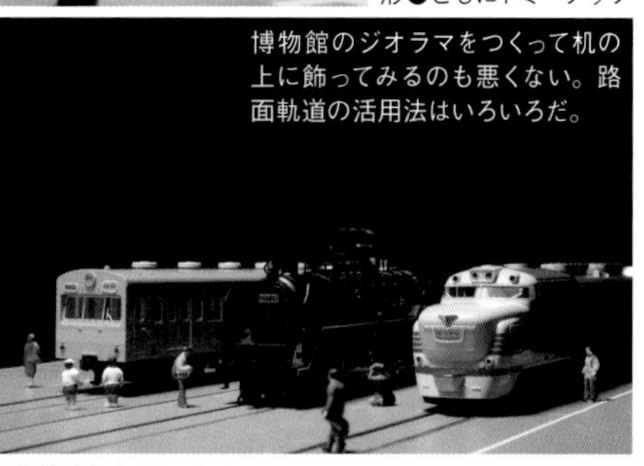

博物館のジオラマをつくって机の上に飾ってみるのも悪くない。路面軌道の活用法はいろいろだ。

博物館を再現する

「ファーストカーミュージアム」などを使って博物館風のジオラマをつくるなら、路面軌道を活用できる。この際、軌道の床をタイルのテクスチャに張り替えたり、別の色で塗装するともっと「らしく」なる。

おすすめプラン

江ノ電の新鵜沼駅と名鉄の犬山橋をイメージしたトラックプラン。軌道区間は中央付近に複線トラス橋梁のトラス部分だけを置くとそれなりに雰囲気を楽しめる。

駅部分は新鵜沼駅の配線を模しており、ホームを置くと18m車なら3～4両分は有効長を確保できる。

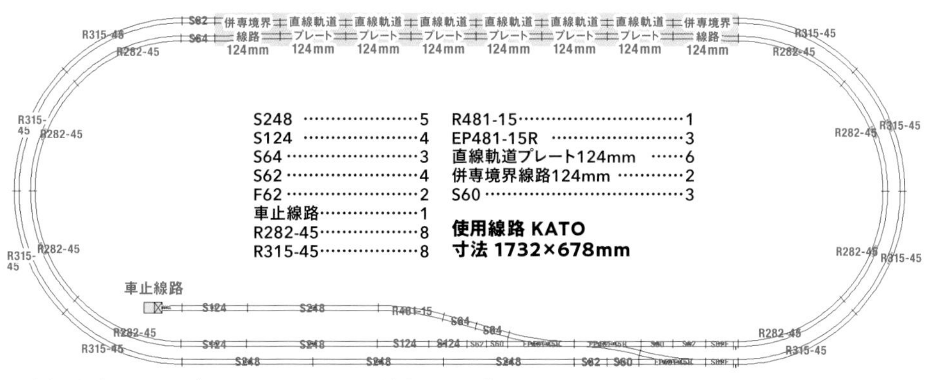

実車の新鵜沼駅はカーブしているので、TOMIXの線路ならカーブ区間にホームを置いてもいいだろう。

高低差をつける

**地形というのは凸凹がある方が見応えがある。
模型でも高低のメリハリを付けると運転がぐっとリアルになるのだ。**

線路は平坦、 地面は凸凹

広大な平野といえどミクロな視点で見れば高低差がある。鉄道の線路はその凸凹をある時は高架で、またある時はトンネルや切通しで通り抜けていく。勾配を不用意につくると輸送力が落ちてしてしまうので、なるべく勾配がないように敷設されている。

鉄道模型で遊ぶときも、通常平らな床面にレールを敷設するだろう。そこにできたエンドレスは全体が見渡せる状態だが、その一部分を隠すと風景としてかなりおもしろくなる。

簡単なのは建物やトンネルで隠す方法。たとえば線路の両側に本で壁をつくり、その上に建物をのせて切通しにしてみよう。見える範囲が制限されることで単調さが薄れてくるはず。

また、本などを積んで5cmくらい線路をかさ上げして、谷を越えるようなシチュエーションをつくり出してもいい。

橋を活用する

最近は鉄橋のストラクチャーも種類が増え、短いスパンを渡るガーダー橋、長いスパンに架橋するトラス橋、景観重視のポニートラス橋など多様なシーンに対応できる製品がある。

これらを漫然と並べるのではなく、シチュエーションに合わせて組み合わせを考えてみたい。

たとえばトラス橋の両側にガーダー橋をつなげると土手が広い川を演出できるし、東武鉄道の隅田川橋梁のようにポニートラス橋を連続して使うのもおもしろいだろう。

さらに、使い道は難しいがKATOの曲線鉄橋線路もうまく使ってユニークな情景を引き出したいアイテムだ。

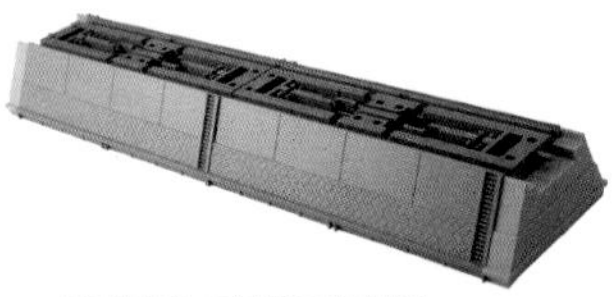

築堤を手軽に再現

TOMIXのワイドレール築堤セットはその名の通り築堤をつくるのに最適な土台。高架線ほど大げさではなくちょっと高低差をつけてみたい時に活用しよう。従来の高架橋や橋梁と組み合わせて使ってもいい。

鉄橋と組み合わせよう

TOMIXのトラス橋と組み合わせる。

積み上げることで高さも変えられるのでうまく活用したい。E233系 ●TOMIX

築堤セットは直線部分しかないので、カーブやポイント、立体交差部分はほかの線路で補うことになる。

たとえば鉄橋であればトラス橋の前後に築堤セットを使用すると堤防の高い川を演出できる。この高架橋と組み合わせてもいいだろう。

また、築堤セットは高さを変えられるので、複線区間を再現する場合に旧線は低い築堤にガーダー橋、新線は高い位置にトラス橋の組み合わせにして変化をつけることも可能だ。

トラス橋の中でもトラスが低い位置に来るポニートラス橋。景観を重視する路線のこだわりとして使ってみよう。100系スペーシア●TOMIX

首都圏ではよく見かける切通しの風景を表現。225系●TOMIX

種類によって違う使い方

橋梁は種類に応じてそれぞれ役割がある。トラス橋は橋げたが立てられない長いスパンを渡るため、ガーダー橋は短い区間を架橋するために使われる。

大きな川の場合、土手の部分にはガーダー橋を使い、橋げたを立てたくない部分はトラス橋で一気に渡すという使い分けがなされる。

切り通しに使う

築堤を切通しにする使い方もある。築堤の横に台を置いてプラ板を載せれば簡単な地面ができ、そこに建物を置けば手軽に「起伏のある地形」ができあがる。

トラス橋とガーダー橋の組み合わせにも意味はある。

おすすめプラン

トラス橋の両脇にガーダー橋を設置するために線路を敷きまわしたプラン。畳1枚のスペースで50mm登るために勾配は無理をして45‰としている。走行距離も稼げて遊べるプランだ。

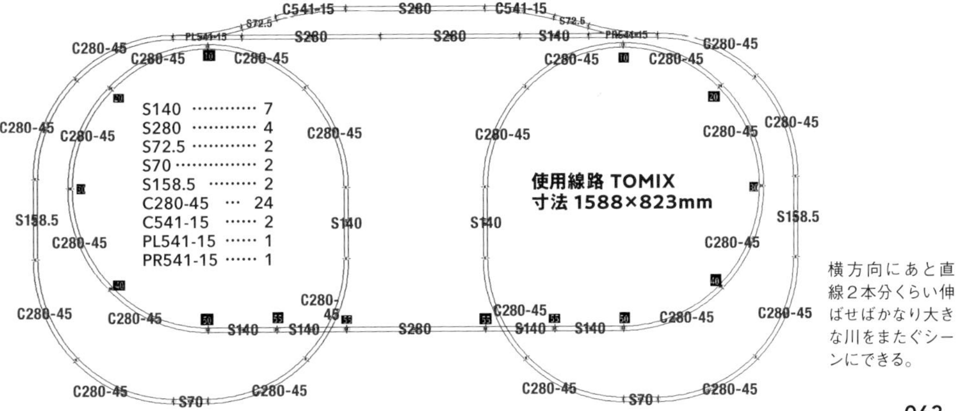

横方向にあと直線2本分くらい伸ばせばかなり大きな川をまたぐシーンにできる。

自動運転を使いこなそう！

自動運転システムを導入したら「運転する楽しみ」がない？
いえいえ、そんなことはなく、使い方次第でより運転が楽しくなるのだ。

たくさん列車を走らせよう

鉄道模型では、原則として１台のコントローラーで運転できるのは１列車。複数のコントローラーを使ったりDCCを導入して複数列車を動かすことはできるが、管理するのは大変だ。そこで自動運転システムの出番となる。

たとえば複線なら、外まわりの列車を自動運転システムで走らせ、内まわりの運転を自分でコントロールする。

自動運転システムを使うと外まわり線をただ走らせるだけではなく、自動で駅に停車するような設定も可能。自分で操作していなくても列車が駅で停まるのは思いのほかリアリティがある。

リアルな運転環境を手に入れる

さらに考え方を発展させ、エンドレスの本線とポイントtoポイントの支線を設定し、支線は自動運転、本線を自分が運転するという切り分けもできる。

本線の列車に合わせて支線の車両も発車、しばらく並走して別々の進路に進むような走らせ方も自動運転システムのサポートがあれば簡単だ。

また、TOMIXのTNOS自動運転システムでは、複数の自動運転列車の中から任意の１編成を選んで自分でコントロールすることができる。この際、信号管理はTNOSがおこなうため、赤信号の冒進はできず、単線区間では交換相手が来るまで発車できない。

導入のハードルは若干高いが、投資しただけの価値があるシステムなのでチャレンジしてみてほしい。

おすすめプラン1

本線と支線の関係をつくって同時に運転すると、レイアウト全体に動きが生まれる。例では支線を自動運転に任せ、人間は本線を担当するが、逆でも構わない。

支線の運転は２列車が途中駅で交換するシンプルなもので、たいていの自動運転システムで実現可能だ。

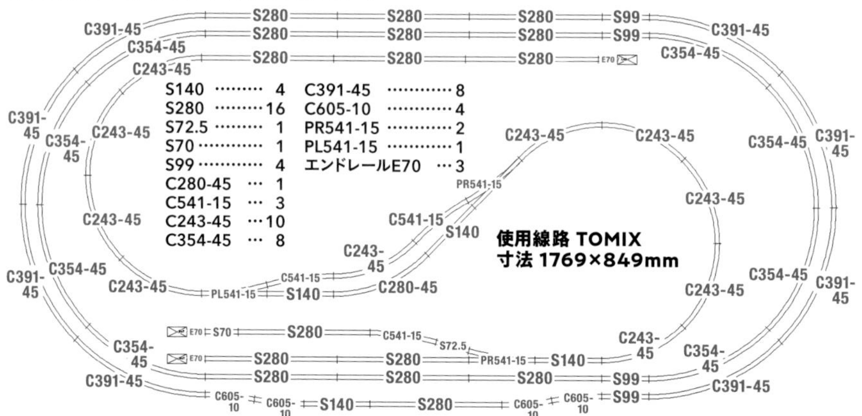

実際の線路配置は自動運転システムに応じて適宜ギャップを切る必要があるが、概念図として例を示した。中間駅で列車交換する運転パターンはシンプルな割に見ていて楽しい。

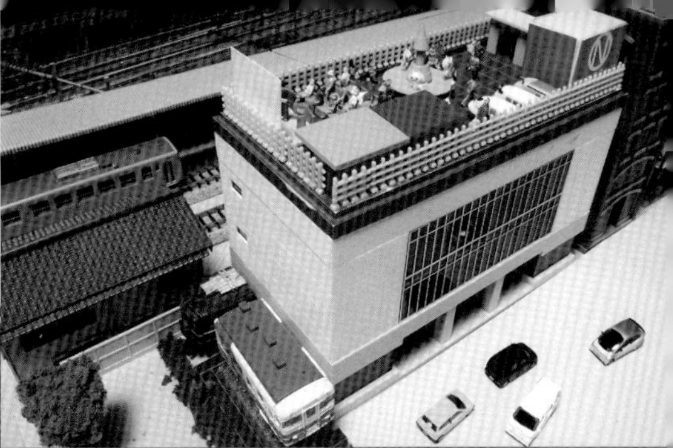

気軽に製作してみよう！ ストラクチャーメイク術

簡単でお手軽、しかも安くつくれるタテモノをご紹介！
レイアウトやジオラマに置いて、自分だけの世界を思う存分楽しもう！

構成◎タテモノ師 Kei

紙でビルをつくる

一見「難しそう」と思えることも、見かたを少し変えたり、工夫をすれば簡単に楽しむことができる。誰にでもお手軽に、しかも安くつくれる建物づくりをマスターしよう。

本物のビルが模型になる？

スターターセットを購入し、お座敷やテーブルに線路を敷いて走らせていると、だんだん物足りなくなってくる。しかし、あれもこれも購入できないので、「線路や車両は増えても、ストラクチャーは後まわし」なんてことになってしまいがち。

そこで、ストラクチャーを手軽に増やす方法として、紙でのビルのつくり方を紹介。用意するものはデジタルカメラやスマホ、パソコンと紙、あと角材があればOK。

ビルの外観は自分で描いたり窓を抜いたりも、塗装もしない。デジタルカメラで実物のビルを撮影し、それをテクスチャーとして厚紙に貼り付けるだけだ。

撮影画像をパソコンで加工

撮影した画像はパソコンのグラフィックソフトに取り込み、テクスチャー用に加工する。

窓はまわりの壁を切り取って窓だけに加工し、壁は比較的きれいな部分だけを切り取り、必要なサイズになるまで並べていく。

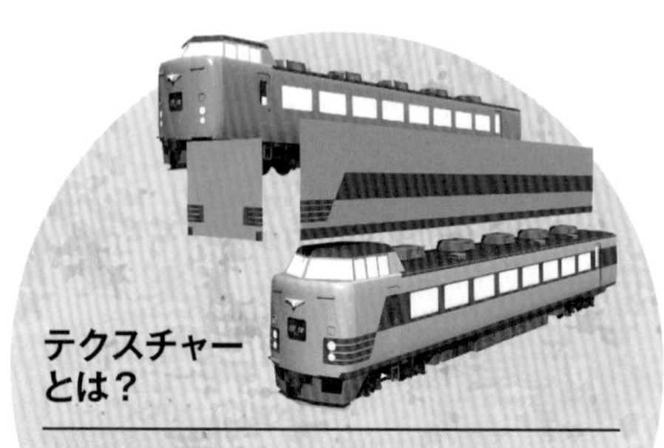

テクスチャーとは？

3次元グラフィックは、ポリゴンという多角形の板をたくさん組み合わせてつくられている。そのポリゴンにラッピングするように模様を貼り合わせると、リアルなモデルになる。その貼り合わせる模様をテクスチャーという。

なんでも素材になる！

ビルやマンションの窓や壁をアップで撮影しよう。この時大事なのは、できるだけ窓や壁や模様が傾かないよう水平垂直を出すこと。

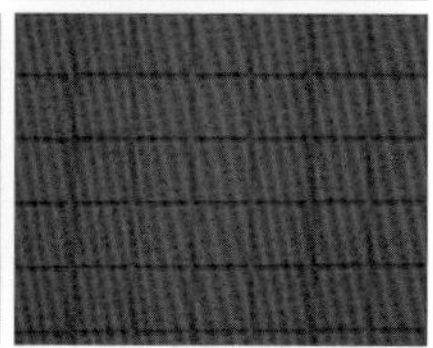

まずはテクスチャーをつくろう！

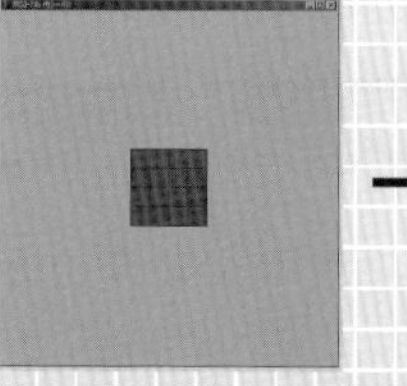

壁の模様は撮影した画像のなかから水平垂直が比較的取れている「美味しい部分」だけを切り取る。

切り抜いた小さなテクスチャーをならべて大きな壁に。

画像解像度は200dpiもあれば充分。作例では横幅を1920ピクセルとしているが、これで横幅約20センチの大きめなビルができる。

テクスチャーは前面、側面、屋上に取り付ける柵、給水塔を隠している（という設定の）看板の4種類を作成した。

失敗しても大丈夫なワケ？

貼り付けて箱の形にする。

この時気をつけたいのは、液状のりだと水分を紙が吸ってインクがにじんだりシワが寄ったりしてしまう。

そこでおすすめなのが、両面テープ。手は汚れないし、シワも寄らず、にじみも出ないので工作が進む。

しかし、両面テープでもずれたり、シワが寄る場合もある。でも大丈夫！失敗した時は再度プリントアウトすればOK！

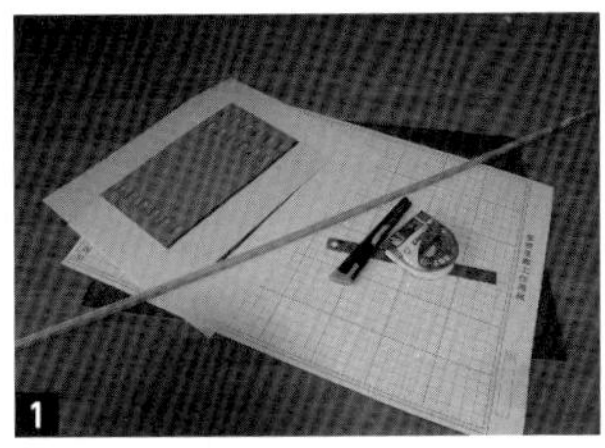

1 組み立てに必要な道具はカッターナイフと鉄定規、両面テープ。材料はテクスチャーを貼り付ける厚紙と補強用の角材（3ミリ角）。これだけでOK。

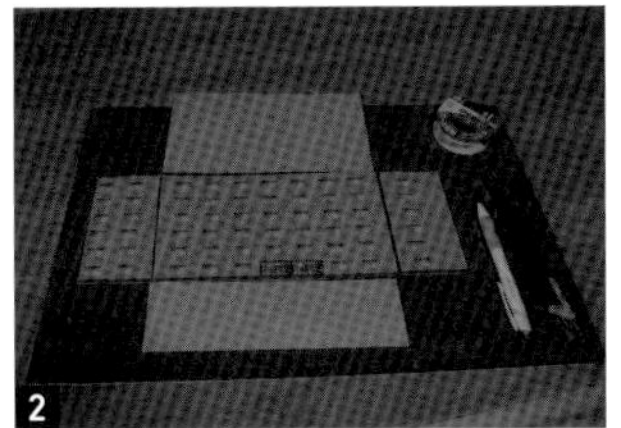

2 テクスチャーを厚紙に貼り付け、切り取る。

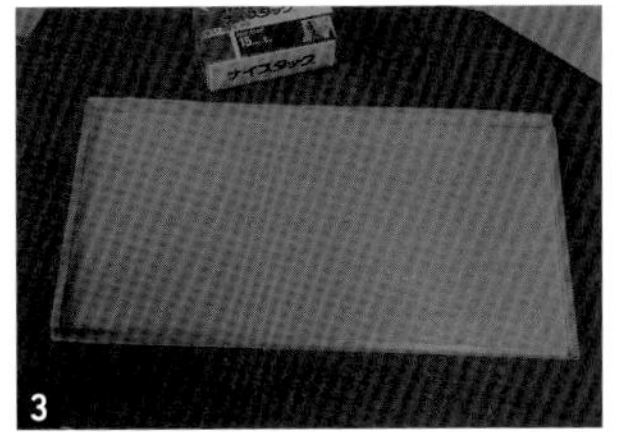

3 裏面に角材で補強を入れていく。角材の貼り付けも両面テープで大丈夫。その粘着力は紙工作であれば充分の力がある。

4 箱に組み立てたら屋上に柵を取り付ける。柵も両面テープを細く切って、壁に貼り付けよう。

5 給水などを隠す看板。看板のテクスチャーは今回文字だけで構成しているが、オリジナルのデザインを考えるのも楽しい。

6 完成！テクスチャーの作成から箱になるまでだいたい2時間くらい。手が空いている時に量産してみては？

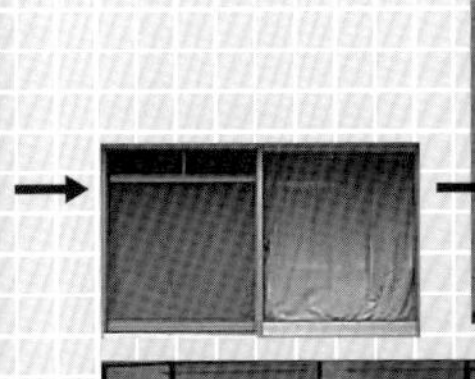

窓やドアは、まわりの壁を残さず切り取る。

正面のテクスチャーが完成。

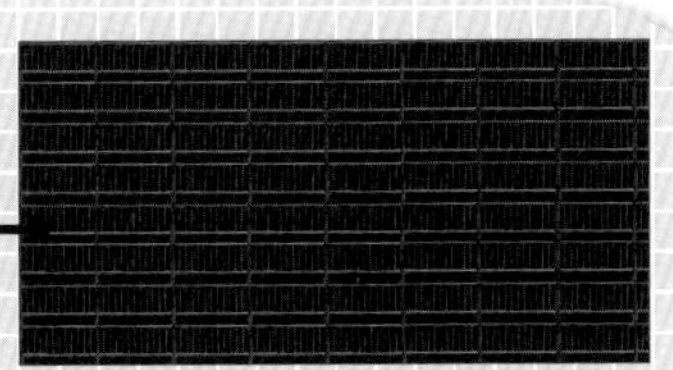

屋上に使う柵はまとめて出力する。柵の高さは実物換算で1.5メートルを想定しているので、ひとつ当たり1センチになるようプリントした。

ストラクチャーの屋根をグレードアップする

車両もストラクチャーも鉄道模型の世界では上から眺めることが多く、車両の屋根は配管や機器類などディテールが大変見栄えがする。これはストラクチャーにもいえること。ストラクチャーの屋根も手を加えてみよう。

ストラップの意外な使い道

かつてのデパートには、屋上遊園地が付きものだった。

ささやかな遊具に、ちょっとしたスナックコーナー。そして休日には戦隊ものやアイドルのショーがおこなわれた小さな舞台…。

鉄道模型メーカーからは多彩なストラクチャーが発売されているが、屋上遊園地用の製品はあまり見かけない。

そこで、何かそれっぽいものを探して活用することになる。

まず目を付けたのは、デフォルメされた新幹線のストラップ。お金を入れると一定時間動作する「キッズライド」に使えるのではと、ためしに屋上において見たところ、ややオーバースケールではあるが、許容範囲!

とりあえず3台配置して、小さなプレイランドをつくった。

使用するのはTOMIXの中型ビル。上から見ると屋上に何もないのが寂しい。

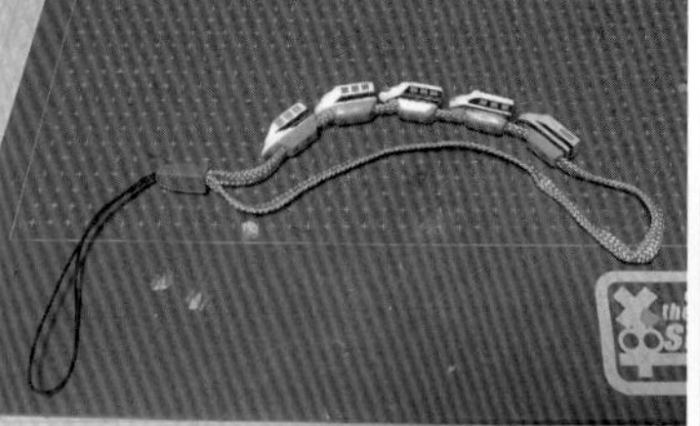

子ども用遊具をイメージするならリアルなものでなく、少しゆるいくらいがちょうどいい。

キッズライドは屋上に、こんな感じで並べてみる。

そう、 メリーゴーラウンド

次に屋上遊園地の目玉となるメリーゴーラウンドをつくる。

屋上遊園地には、乗り物が3台程度で屋根もない小規模なものがある。

ストラクチャーに屋根があっては、せっかくのメリーゴーラウンドが見えないので、屋根は付けない。

さらにメリーゴーラウンドの乗り物をどうするかだが、ここでは「エンボスシール」を使った。

左右対称のものを選んで貼り合わせ、細い真ちゅう線を間に挟んだ。

メリーゴーラウンドの台座を0.5mmのプラ板でつくる。台座はタミヤセメントのふたと同じ大きさ。

台座と乗り物。小型のメリーゴーラウンドなら、3体もあれば充分。

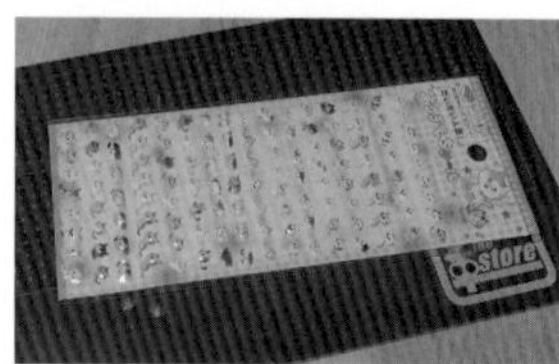

遊具はエンボスシールで、左右対称の絵柄があること。

フィギュアで場を賑やかに

デパートの屋上でおこなわれる催事といえば、ヒーローショーや歌謡ショーなどもある。

賑わいを演出するために、小さなステージを片隅に配置した。

ステージも座席も、プラ板でつくった簡単なものでかまわない。

観客席には「これでもか！」とばかりにフィギュアを座らせ、さらに余裕があれば立ち見客もつくろう。そしてステージには、観客とはちがう種類のフィギュアを立てる。

作例ではTOMYTEC「盆踊りの人々」を使ってみた。

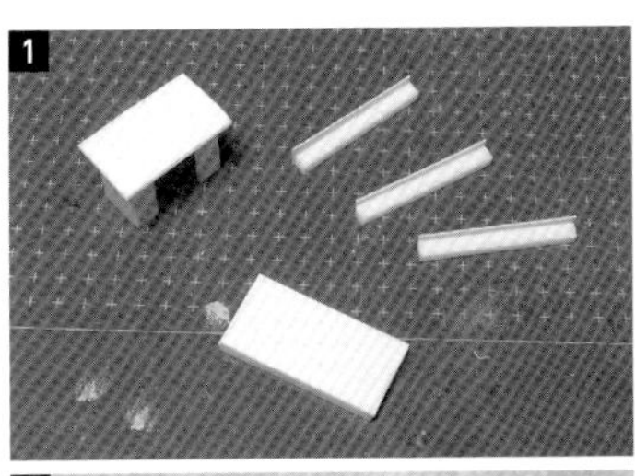

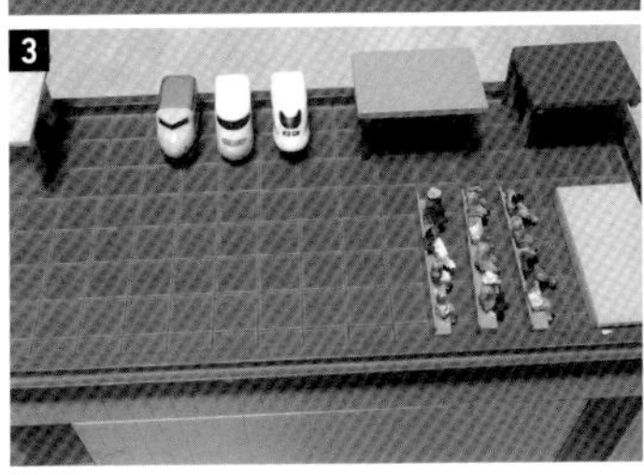

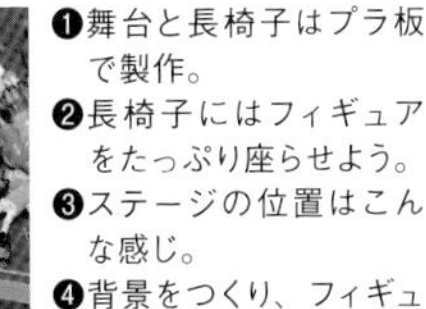
❶舞台と長椅子はプラ板で製作。
❷長椅子にはフィギュアをたっぷり座らせよう。
❸ステージの位置はこんな感じ。
❹背景をつくり、フィギュアを配置すればステージが完成。

最大の見せ場は屋根にあり

TOMYTECの「露店」をふたつ並べ、飲食コーナーも設けた。

最後に給水タンク兼、店の看板を店舗の隅に配置。そして周囲に柵を巡らせば完成。

見下ろす機会が多いNゲージの世界では、屋上が賑やかになるとレイアウトが生き生きとする。樹木やライケンを撒いて屋上庭園にしてもいいだろう。

車両もストラクチャーも、屋根が見せ場なのだ。

露店は右隅に配置。中央は塗装したメリーゴーラウンドで、アクセサリーはガンプラのあまりパーツ。

給水塔兼看板はプラ板をベースに、パソコンでつくった看板を貼り付けた。

遊具や店のまわりにフィギュアを置けるだけ置こう。子どものフィギュアは遊具の前に置くと雰囲気が増す。

バスを建物に変える

鉄道模型の世界に『断捨離』は似合わない。あまったパーツやダブった車両は、建物の素材に活かすべきだ。そんな『余りものでつくった建物』をつくってみよう。

バス転じてラーメン屋

「建物」は極端な話、「雨露さえしのげれば」問題ない。

そう考えれば、どこかから建物を運んでくれば、「家を建てるより安上がりじゃないか?」というのが「転用住宅」のはじまり。終戦後、電車やバスを住宅の代わりにしたのがはじまりといわれている。

時は流れて現代、ロードサイドにバスの廃車体を利用したラーメン屋を見かけることがある。これは建物自体を『看板』として客の目を引こうというわけだ。

鉄道模型の世界でも通用する。建物が並んでいるなかにバスの廃車体のラーメン屋を置けば、レイアウトのいいアクセントになる。

バスを廃車しよう!

Nゲージでボンネットバスからノンステップバスまで、さまざまなバスが発売されている。

廃車にするので古いバスのほうがサマになるが、ボンネットバスはかなり小さい。おすすめは、80 ～ 90年代に活躍したツーステップバスあたりだろう。

バスは雨ざらしになると、あっという間に塗装がぼろぼろになるので、開店時は元のバスの塗装が残っていても、時とともにオリジナルの塗装に塗り換えられる場合が多い。

その際、塗り分けは大変なので、単色塗りにしてしまうケースが多いようだ。そこでここでは実物に倣って、オレンジ1色のベタ塗りとし、エナメルブラックで薄くウェザリングした。

次は玄関をつくる。

廃バス店舗は、オリジナルのドアになっている場合が多い。そこで、模型でも入口を撤去して別の扉を取り付けよう。

ドアは『後付け』ということを強調するため、わざと雑につくりたい。

プラ板でも紙でもいいので、簡単につくって貼り付けてしまえばいい。

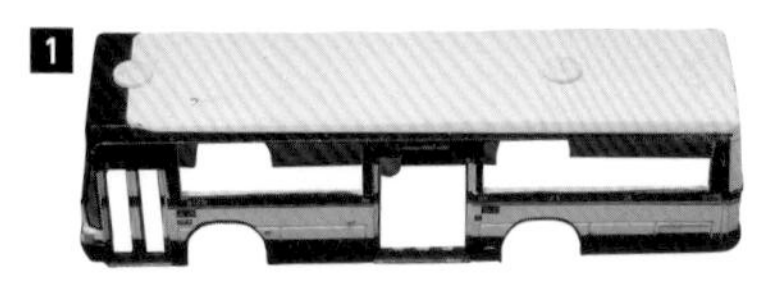

1 入り口の折り戸は早々に取り換えられるケースが多い。作例でも中扉を通常の扉に加工すべく撤去。

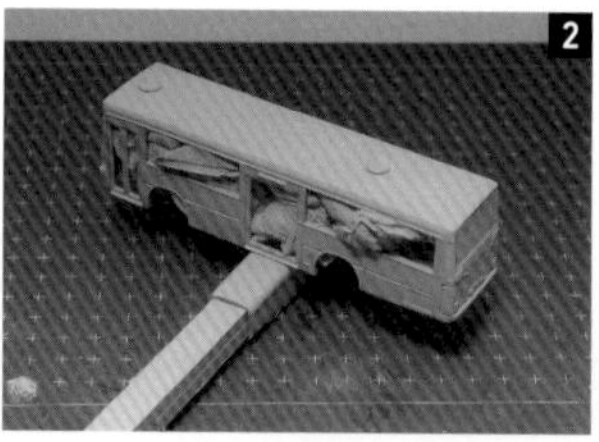

2 バスらしさを消すため、あえて1色塗装に。地の模様を少し浮かび上がらせるため、もとの塗装の上からサーフェイサーを吹いた。

3 サーフェイサーの乾燥後にオレンジを吹いたが、下地が完全に隠蔽されてしまったため、エナメルでウェザリングをした。

4 ドアはプラ板から切り出した。

乗り物が建物に変身

バスを建物に見せるためにも、小道具にもこだわりたい。

バスのなかで調理するための厨房がある設定なので、煙突、換気扇、プロパンガスなどをバスのまわりに並べたい。

運転台付近にプラ棒でつくったプロパンガス、グリーンマックス（以下GM）のキットの余りを流用した換気扇と煙突を置いてみた。

また、作例ではGMキハ04のキットに付属していた代燃装置をバスの横に据え付けた。

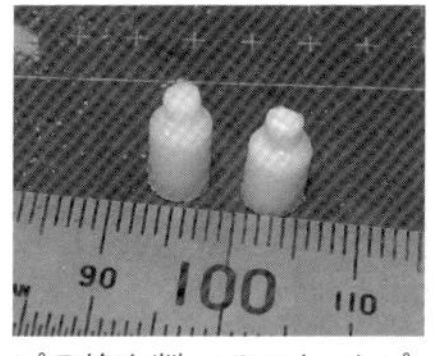

プラ棒を削ってつくったプロパンガス。塗装はグレーのサーフェイサーを吹くだけでもいい。

GMの住宅キットに付いている換気扇。

工作といえば、プロパンガスと車寄せの土台程度。

時代を演出しよう!

廃バスと店舗を見分けてもらうには、やはり看板で、デザインは重要。

たとえば、白地に黒文字で手書き風の看板であれば、1980～90年代からやっている店舗であることが何となく伝わるし、カラフルな色を使ってゆるキャラのようなイラストを入れれば、2010年代に開店した店舗であることが演出できる。

column

バスまわりをコテコテに

外にごちゃごちゃ付ければ、バスが走るようには見えない。それが車両からタテモノに変化した証。それに小道具や看板が付けば、これはもう…。

看板はパソコンのグラフィックソフトでつくろう。

前ドアの後ろにあるのはキハ04の代燃装置。しかしここでは焼却炉？ゴミ捨て場？にも見える。

看板は両面テープでプラ板に貼り付け、表面はセロファンテープを貼ってツヤを出した。

欧風の建物をつくる

**KATOの『アルプスの氷河特急』を走らせるために、
あえて日本型のストラクチャーを欧風に…。
意義はともかく、「見立て」のおもしろさを体感しよう。**

昔の情熱をもう一度

KATOから発売されている『アルプスの氷河特急』。

外国製のストラクチャーも数多く発売されているが、日本のメーカーが発売した外国型車両に合わせて、ストラクチャーも日本製でまとめられないだろうか？

かつて日本型の鉄道模型やストラクチャーが発売されていなかった頃は、外国型のものを日本型にアレンジしていた。今あえて体験してみるのもおもしろそう。

ここではグリーンマックス（以下GM）の住宅セットの余り板を使って、スイス風の建物をつくる。

千里の道も一歩から

まずは6枚の側面を箱型に組む。屋根は雪国らしさを演出するため、角度を付けたい。そこでパーツの屋根部分をプラ板で延長し、45度の角度に変更した。

本来の屋根の角度からするとかなり急になったが、もっと大胆に角度を付けてもいい。

屋根板はGMの「石垣」。まずは35×80㎜にカットし、両端に補強の板を貼って屋根はできあがり。

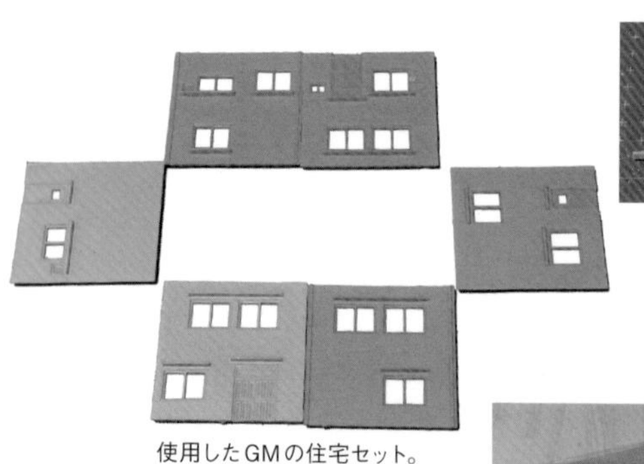

使用したGMの住宅セット。

スイスは雪国なので、屋根の勾配はきつくしたほうが雰囲気が出る。

裏はプラ棒で補強。

屋根の素材はGMの石垣。

屋根を切り出したところ。屋根に開いている穴は煙突を通すためのもの。

屋根の縁を補強するためにプラ板を切り出す。

何だかそれっぽい？

「簡単」を旨としているので、少しの工夫でそれっぽく見えることを目標にした。

そこで、いかにも日本家屋な建物をそれらしく見せるには、ティンバー（木造家屋の骨組のひとつで、壁に柱が露出している構造）にすればそれらしく見えるのではないかと考えた。

ティンバー（素材は使い終わった紙）は黒いほうが目立つので、まずは家屋をクリーム色に着色。そこに2mm幅の線を引き、両面テープを貼る。塗装は油性サインペンで真っ黒に塗ってから切り出すと、黒い帯ができあがる。

これを、壁の空いているところにこれでもか、とばかりに貼り付けていくと、何だかいい雰囲気！

さらにヨーロッパの建物は飾り窓が目に付く。窓の下にプランターがぶら下がっており、そこに花が植えてある。ということで、2㎜プラ角棒を10㎜の長さにカットし、明るい色で塗装。これを窓の下に貼り付けてスポンジをのせると、飾り窓の雰囲気が出てきた。

あとは5㎜のプラ角棒とプラ板でつくった煙突をのせれば完成。

見立ての工夫に挑戦

GM製品を加工したが、トミーテック『建物コレクション』の教会や喫茶店、KATOジオタウンのペンションなど、外国風に使えそうな建物がいくつかある。

それらをベースに、「オールジャパンのヨーロッパ風レイアウト」をつくってみるのもおもしろい。

1 不要の紙に2mm幅の線を引き、両面テープを貼ってシールにする。

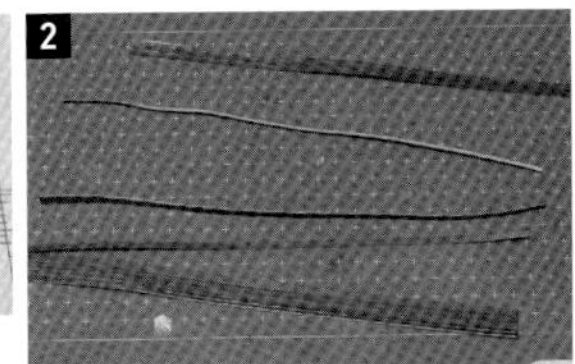
2 油性サインペンで黒く塗って切り出せば、ティンバーの素材ができあがり。

3 ティンバーの配置は、インターネットなどで実物を参考に貼り付けていこう。

4 ひと通り貼り付けたところ。

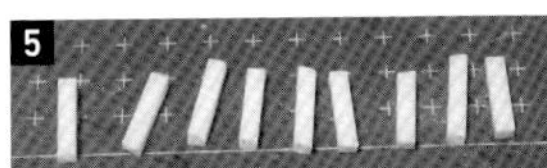
5 2㎜角のプラ棒を10㎜の長さでカットし、プランターにする。

6 エバーグリーンのスジ板を使ってブラインドをつくる。

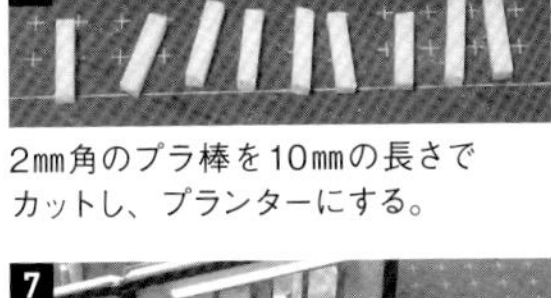
7 プランターとブラインドを貼り付けたところ。

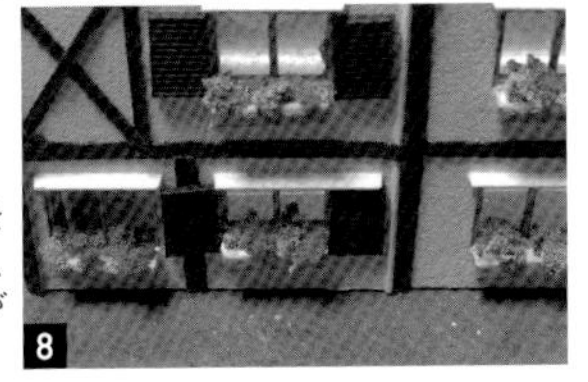
8 カラースポンジで花を演出。青や黄色など、派手な色のスポンジがおすすめ。

9 最後に煙突をのせて完成。日本のキットで欧州の建物をつくる意義はさておき、それっぽく化けた建物を眺めるのは悪くない。

すき間用の建物を自作する

**市販されているストラクチャーのラインナップを見ると、
建物づくりなんて必要ないと思うかもしれないが、いやいやどうして。
まっさらな土地は、レイアウト上にまだまだたくさんある。**

土地の有効活用

多くの場合、レイアウトは長方形やL字型など、四角形が基準になる。そこにエンドレスを組み込むと、角の処理に困るケースがある。すなわち建物を置くには形が合わず、そこを森や公園ばかりにしても芸がない。

また、角のスペースは中途半端に狭くて使いづらい空間が多いが、そんなスペースにぴったり合うようなビルなどは市販されていない。

ならば自作するしかない！

ここでは製作中の540×300mmのミニレイアウトを例に話を進める。

540×300mmのミニレイアウトで、角の部分にできた微妙な空白エリア。駅前だけに畑や森ではなく、建物を置きたいところだ。

ザ・現物合わせ

まず定規で線路と線路の間のスペースを測り、プラ板にその寸法を書いて「テンプレート」をつくり、それを元に壁をつくるという手順で製作した。

「レイアウト事情によって建物の形状を考える」これを工作の世界では「現物合わせ」というが、建物であれば多少の寸法狂いは「味」として消化できるので、あまり細かいことは気にせずざっくりと寸法を取ってかまわない。

次に、レイアウトから現物合わせで採寸した矩形を元に壁の大きさを割り出していく。

ここではプラ板を使っているが、紙でも真ちゅうでも素材は何でもかまわない。

そして窓を好みで抜いていく。

壁を切り出したら箱形にしていくが、現物合わせの寸法なのでぴったりはくっつかない。ヤスリで削ったりプラ板を継ぎ足したりしながら形を整えていく。

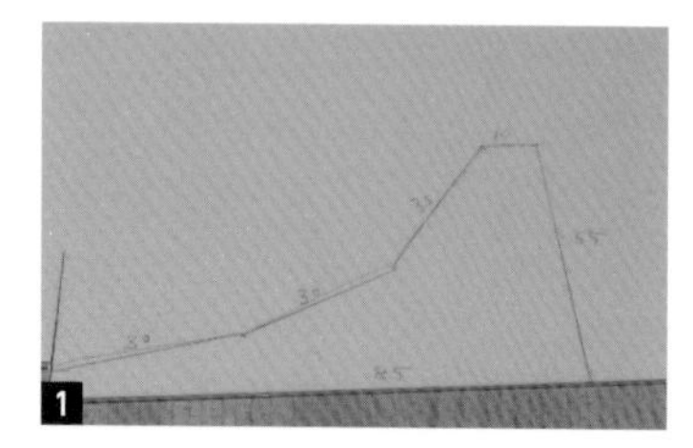

1 空白がどの程度の大きさなのかを把握し、車両がぶつからない程度にギリギリの大きさの建物をつくる。

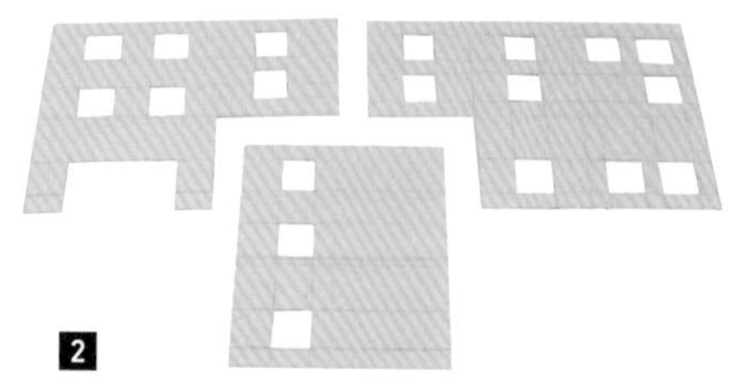

2 矩形を元に壁を製作。普通の三角形ではつまらないので、1階部分を一部切り欠いて駐車場スペースにした。

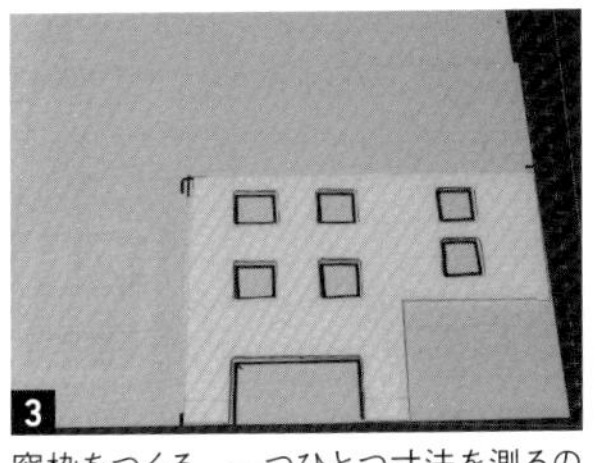

3 窓枠をつくる。一つひとつ寸法を測るのは大変なので、プラ板を重ねて油性サインペンで枠をなぞる。

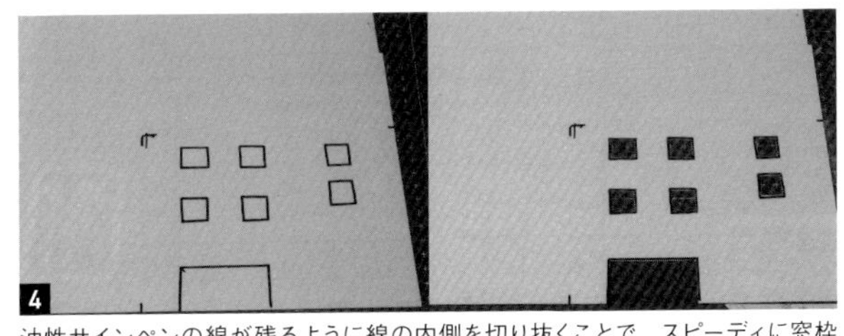

4 油性サインペンの線が残るように線の内側を切り抜くことで、スピーディに窓枠ができる。

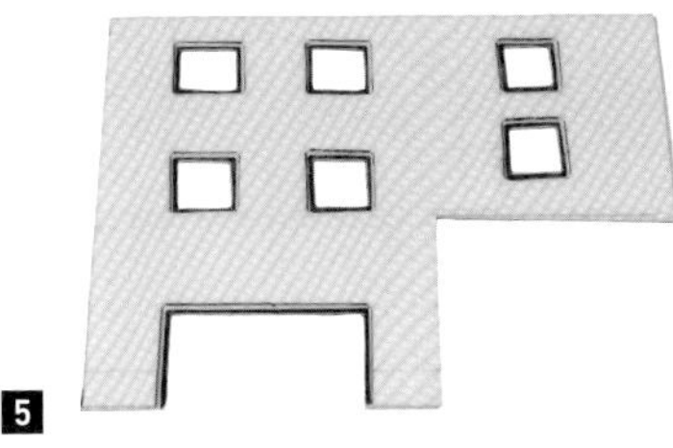

5 重ね合わせると写真のような感じ。

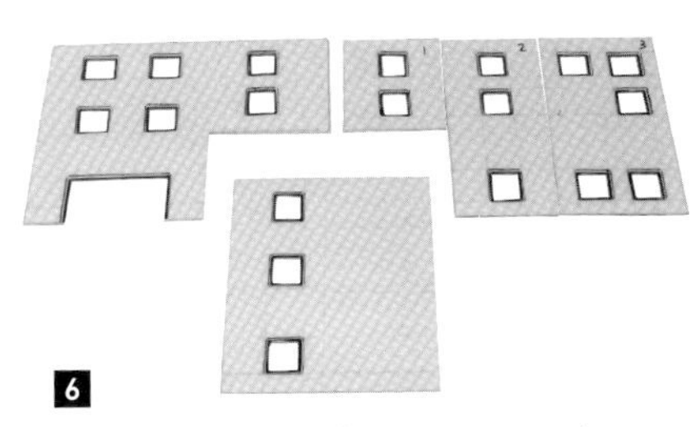

6 壁の完成。左上の1階部分にはシャッターを付けるため、大きな穴を空けている。

7 組み立ては直角が出ている部分から。3mmプラ棒を介して強固にくっつける。

8 直角にならない部分は、丸棒とゴム系接着剤で柔軟に角度を決めて接着。

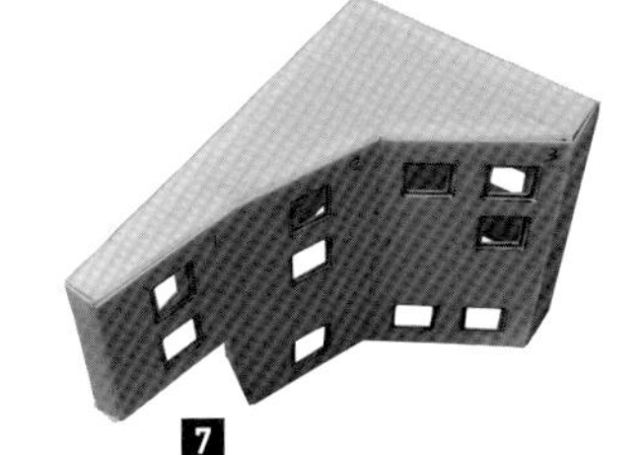

7 とりあえず立体になった。現物合わせなのであちこちはみ出したり足りなかったりするので、パテやプラ板などで修正しよう。

8 塗装をおこなう。

レイアウトの端まで土地開発

市販のストラクチャーを並べただけでは表情は出ないし、レイアウトの街は必ずしも碁盤の目のようにはなっていない。

曲線線路の外側のような「規格外」の土地に何をつくるかで表情が付き、レイアウト内の狭い土地のなかにちょっとした物語が生まれる場合もある。

また、四隅を草地や畑にせず、「土地開発」をしてみてはどうだろうか。いびつな形の建物は、レイアウトのいいアクセントとなるに違いない。

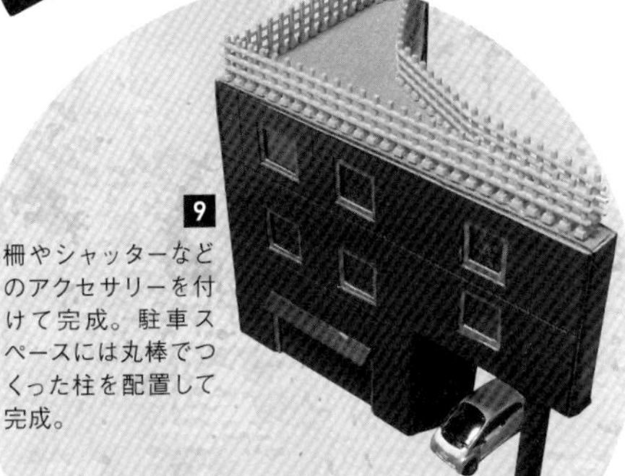

9 柵やシャッターなどのアクセサリーを付けて完成。駐車スペースには丸棒でつくった柱を配置して完成。

手軽に持ち運べる建物をつくる

車両や線路がケースに入れて持ち運びできるなら、建物も手軽に持ち運びしたい。そんな考えのもと、クリアファイルに入れて持ち運びできる建物をつくる。

パソコンで壁面をつくろう

簡単につくれることを念頭に置き、住宅のサイズは40×40mm。グリーンマックスから発売されている「住宅」よりひとまわり大きなサイズ。

まずは家の壁面や窓をパソコンで描画。

ドアも窓も凹凸のない平面となるが、そこは割り切る。

絵ができたらプリントアウトし、両面テープで厚紙に貼る。通常のストラクチャーならここで箱に組み立てるが、ここではあえて組み立てない。この板のまま持ち運んで現地で組み立てるのが基本だ。

そこで、建物をゆるく折り曲げて、元の平面に戻る力を利用することにした。箱型から元の形に戻らないよう、外側に紙のストッパーを付けることで、箱型を維持させる。

屋根も接着せず、ただのせるだけ。逆V字型の屋根ならば、屋根の2面がほぼ同じ重さであれば固定しなくてもお互いの重さで屋根にぴったりとくっつく。

ストッパー1個で固定

この建物の特徴は「普段はクリアファイルのなかに収納でき、使うときだけ立体になる」こと。

したがって、接着剤やテープで組み立て

パソコンでつくった壁面だが、手書きもまた味がある。窓やドアは実物を写真に撮って加工すれば簡単だ。

壁面は4面つくる。2か所上にはみ出ているのは、三角にカットして屋根をのせるため。

屋根には瓦らしきものを表現。

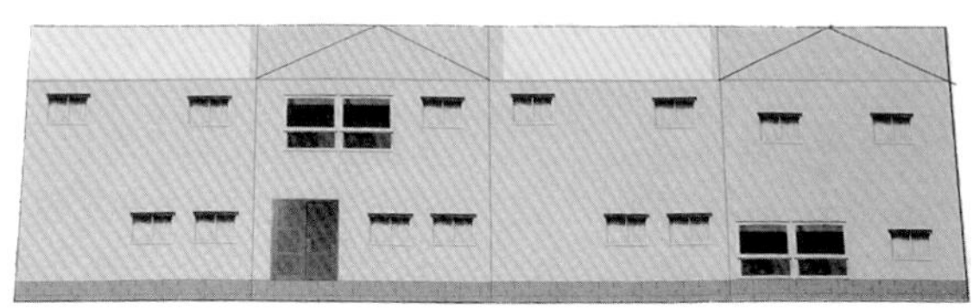

プリントアウトした壁面。屋根をのせる部分をケガいて、切り出す準備をする。

ず、固定するための治具としてボール紙でストッパーを1個つくる。作例より1mm大きい、41×41mmの正方形をくりぬいたボール紙を土台代わりにする。

壁面を箱形に固定したら、上から屋根をのせて完成。

組み立ては1分もかからず、分解も同様に簡単だ。

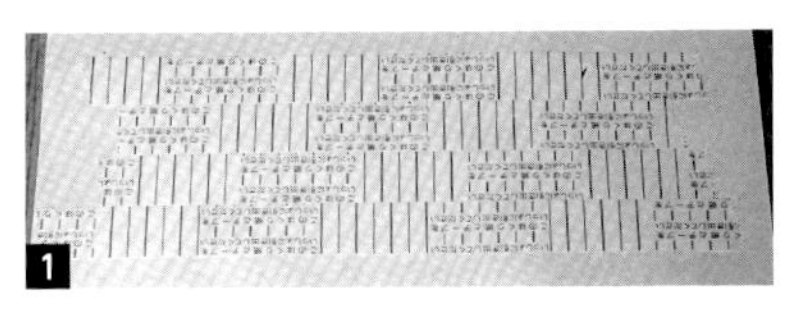
1 切り出す前に、裏に両面テープを貼り付けてシール状態にする。

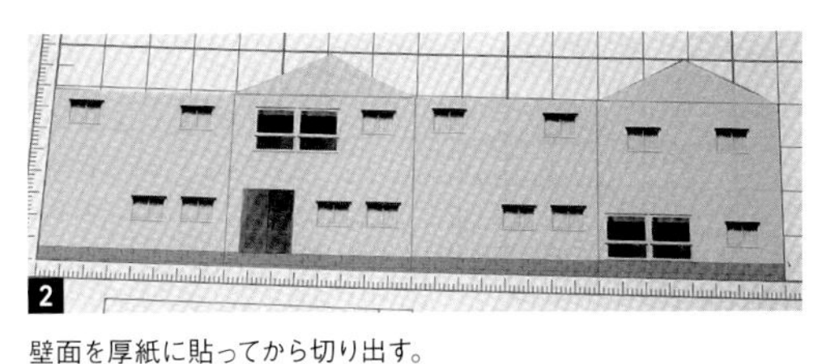
2 壁面を厚紙に貼ってから切り出す。

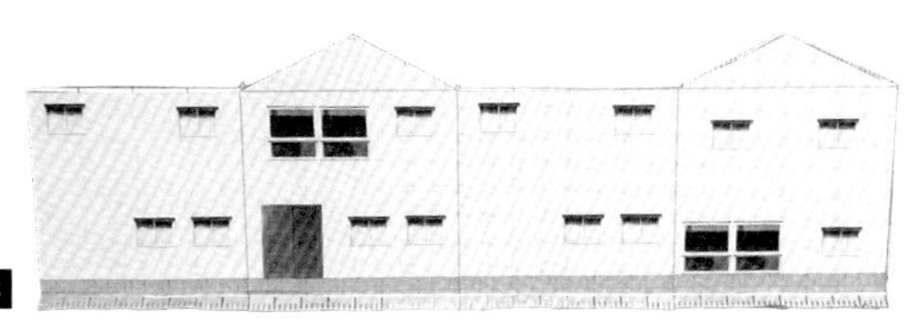
3 切り出す際に、床部分は5mm程度長く切り落とす。この部分を折り曲げて台座とする。

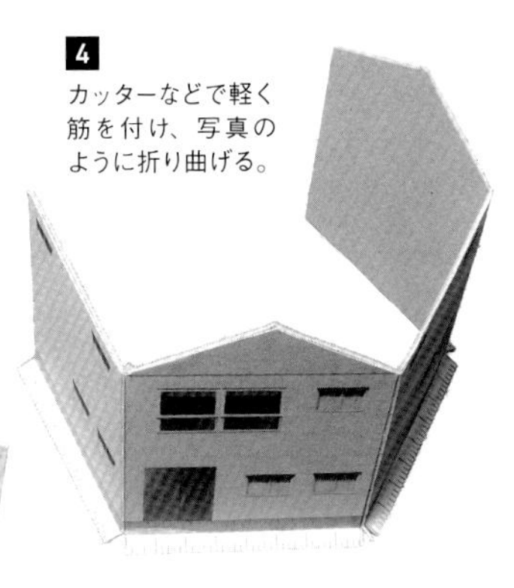
4 カッターなどで軽く筋を付け、写真のように折り曲げる。

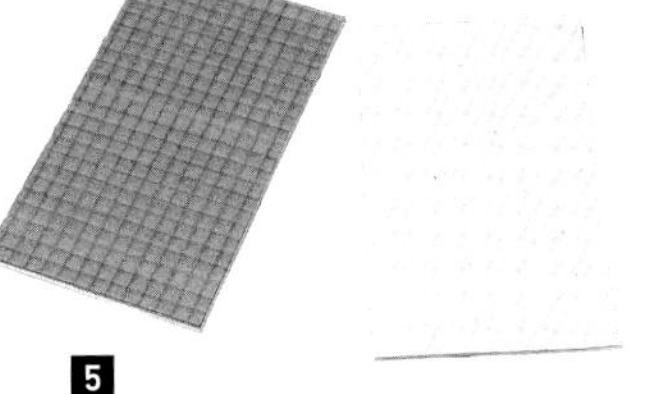
5 屋根になる紙を2枚切り出す。

6 セロファンテープでV字型にとめる。

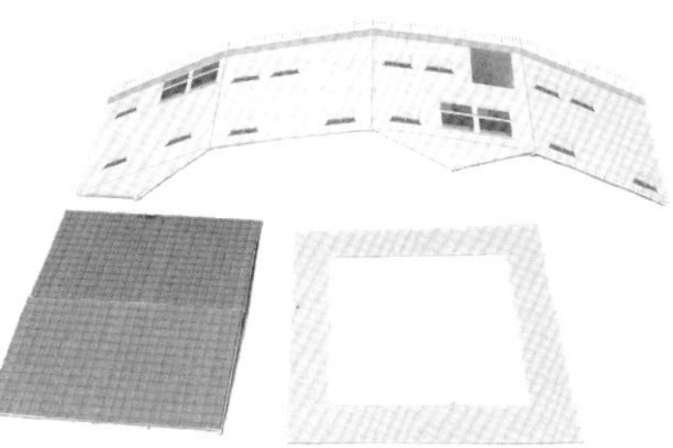
7 厚紙でストッパーをつくればパーツは全部完成。

8 クリアファイルから部品を取り出す。

組み立ては3ステップ！

9 ストッパーで壁面を固定する。

10 屋根をのせて完成。

特徴を知ってお気に入りを見つけよう

Nゲージメーカーガイド

KATO、TOMIX、マイクロエース、グリーンマックス、MODEMO、ポポンデッタが完成品メーカーとして新製品をリリース。オリジナリティあふれる製品でファンを魅了する各社の特徴を紹介しよう。

KATO

日本のNゲージメーカーといえば、一番最初に名前が挙がる老舗。国鉄／JR、私鉄、第三セクターなど、さまざまなジャンルの製品をリリースしている。

新機軸を積極的に採用

模型化する車種選択、品質と価格、扱いやすさと精密感…。このいずれもが、誰もが納得する好バランスで成り立っているのがKATOだ。

最近の発売モデルで話題を集めたのは、JR東日本が2020年に運行をはじめたE261系『サフィール踊り子』だろう。ユーザーからの評価も高く、ほしいのに手に入れられなかった人も多い。特徴ある車体色のブルーを鮮やかに再現し、LEDヘッドライトの点灯も実車同様というこだわりや、カフェテリアのテーブルランプと壁面下部の照明が標準で点灯するというギミックもうれしい。また、『サフィール』と同時に『踊り子』に投入されたE257系2000番台、2500番台も発売され、伊豆方面への新しい観光特急がそろい踏みとなった。

ファインスケールの蒸機モデルのリニューアルも進む。C62東海道形はコアレスモーター化され、ディテールを新規金型で再現するなど、新製品といってもよい改良が施されている。

人気の車両セット は「ベストセレクション」として市場在庫を可能な限り保つために定期的な再生産をかけるといった配慮は、ユーザー本位の姿勢とも受け取れる。

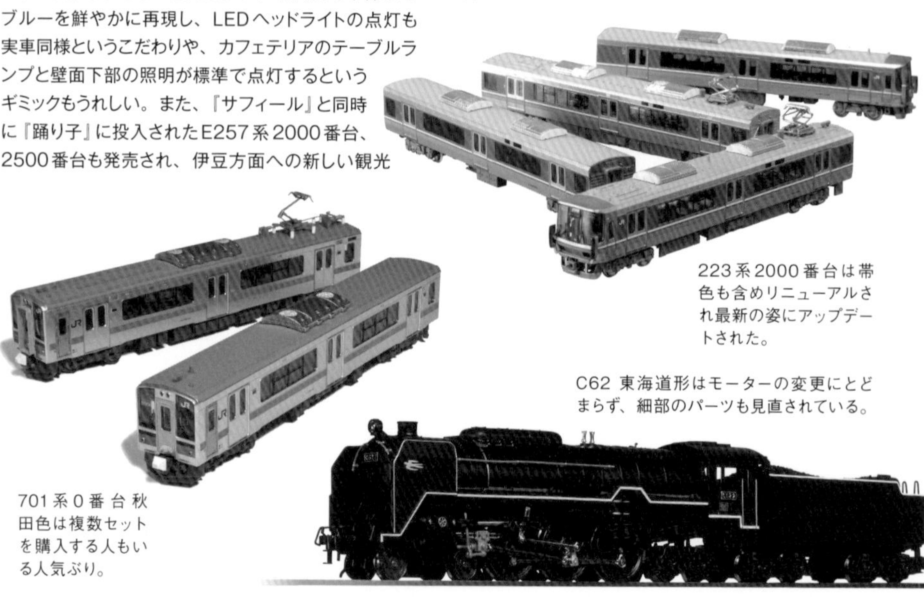

223系2000番台は帯色も含めリニューアルされ最新の姿にアップデートされた。

C62 東海道形はモーターの変更にとどまらず、細部のパーツも見直されている。

701系0番台秋田色は複数セットを購入する人もいる人気ぶり。

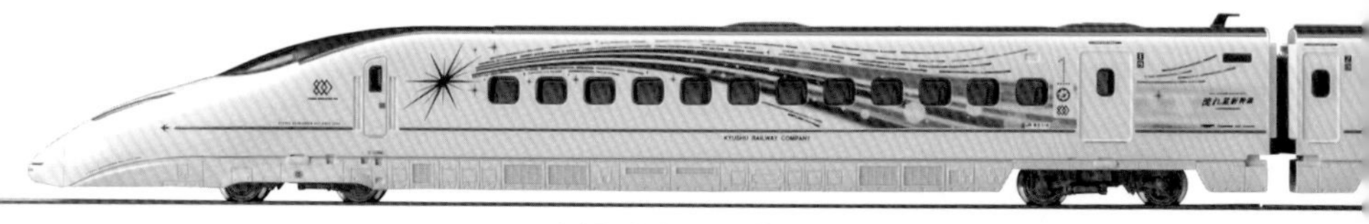

九州新幹線800系「流れ星新幹線」は車体側面のラッピングがウリ！

TOMIX

新型車両の迅速なモデル化や、最終列車を完全に再現するセットのシリーズ化などで、Nゲージメーカーとしての存在感を増すTOMIX。周辺機器の充実も目覚ましい総合Nゲージメーカーだ。

ハイグレード仕様が充実

新旧織り交ぜて、意欲的にさまざまな形式の新製品を拡充し続けているのがTOMIX。

新型車両を中心とした3両基本セットは、連結器をアーノルドカプラーとした扱いやすさを重視した設定で、Nゲージ初心者の入門モデルとして最適な設定。

一方で趣味性の強い車両は、「ハイグレード」(HG)仕様として別パーツを多用した細密表現を重視。近年は通勤型電車と近郊型電車にもHG仕様を採用し、こだわりのある製品のラインナップを増やしている。

また新製品のリリースだけでなく、定番製品も随時リニューアルし、動力ユニットの改良やライト類、別パーツの採用拡大など、模型技術の進歩を反映させている。2019年からは電気機関車に新モーターを採用し、リアルなダミーカプラーを装着できるようにしたモデルをリリースしている。

TOMYTECの『鉄道コレクション』シリーズは、オープンパッケージ製品の「編成モノ」の充実が著しい。また、鉄道会社とタイアップした事業者特製品も定着し、人気のコレクションアイテムとなっている。

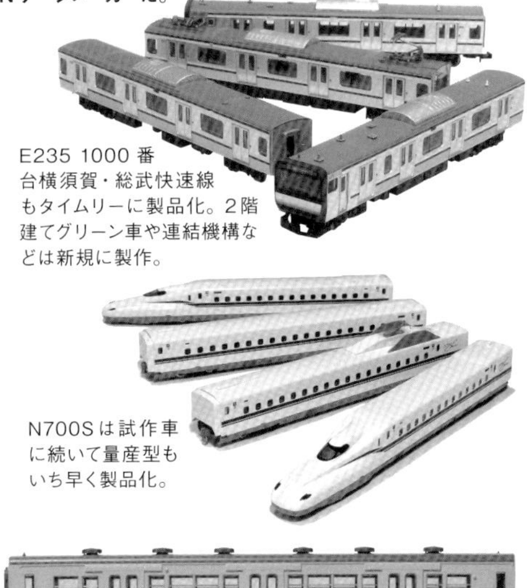

E235 1000番台横須賀・総武快速線もタイムリーに製品化。2階建てグリーン車や連結機構などは新規に製作。

N700Sは試作車に続いて量産型もいち早く製品化。

ファンの間で長年待たれていたキハ30／35がHGで製品化された。

キハ40の製品が充実。写真は「ありがとうキハ40・48・男鹿線」セット。同様の五能線セットも発売。

マイクロエース

蒸気機関車モデルの積極的な投入や、民鉄車両、試作車など他社とは一線を画す車両をラインナップして独自の路線を進む。

フリーのCタイプ機関車を4タイプ発売。アイデア次第でいろいろな遊び方ができる。

マイクロエースのみが製品化しているキハE130。500番台八戸線以外もバリエーション展開される。

増える私鉄モデル

ジャンルを問わないラインナップのなかでも、稀少車種の製品化が他社にはない強みなのがマイクロエース。

特に私鉄モデルでは大手だけではなく、地方私鉄の車両も積極的にリリースし他社の追随を許さない豊富な製品展開を誇っている。

技術面では小型モーターの開発や小径車輪の採用により、京阪800系、横浜市営地下鉄、都営大江戸線車両など、「マイナーだが模型になってほしい」というユーザーのニーズに応えている。

一方で懐かしい国鉄型車両やJR車両のバリエーション展開も忘れていない。これらの形式では、他社が発売しない初期車や改造車などを中心にしている。以前は自作するしかなかった細かなディテールの違いを再現した車両を、完成品として手に入れられる。

グリーンマックス

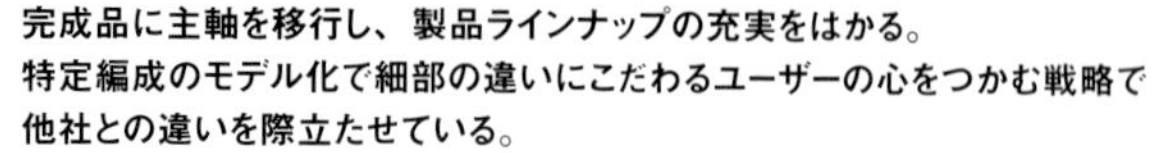
完成品に主軸を移行し、製品ラインナップの充実をはかる。
特定編成のモデル化で細部の違いにこだわるユーザーの心をつかむ戦略で
他社との違いを際立たせている。

上田電鉄1000系のラッピング車を2タイプ発売。写真の「れいんどりーむ号」のほか「自然と友だち2号」がある。

元東急8500系の富山地方鉄道17480形は、スノープロウや連結器カバーも再現。

阪急1300系は京都線の広幅車体を正確に再現。

キットから完成品へ

GMの略称で親しまれているグリーンマックス。長年積み重ねてきたキットによる模型製作の醍醐味を提供しながらも、完成品のラインナップを拡充している。

主力となる完成品モデルでは、時代や編成によるディテールの違いをつくり分け、細かな違いを楽しむ鉄道ファンの要求を満たしている。

私鉄モデルの充実も大きな特徴で、なかでも中部、関西エリアの車種を取り揃えることで、ユーザーの心をつかんでいる。

近年はヘッドライト、テールライト、前面方向幕の点灯状態や室内灯にこだわりのある製品のラインナップも増えている。

また精細な印刷によるラッピング車両の製品化にも力を入れJR西日本の115系「SETOUCHI TRAIN」や西武20000系「2代目銀河鉄道999デザイン電車」などさまざまなラッピング車両を実車さながらに再現している。

MODEMO

プラモデルメーカーのハセガワが展開する鉄道模型ブランド。
1997年に中村精密を引き継ぎ、翌98年より自社開発モデルを発売。
小型電車・路面電車を中心に展開する。

完成度を高めた小型車

小半径レールや併用軌道レールも発売され、遊び方も広がった路面電車や小型電車。Nゲージへの参入以来、このジャンルに力を入れ続けているのがMODEMOだ。

新製品の投入とともに模型技術も進化を重ね、路面電車らしい低いプロポーションが再現され、製品のリアリティが大幅に増してきた。

動力装置も改良が続けられ、初期の動力にくらべ現在のフライホイール付き動力は走りも大幅に向上している。Nゲージの小型車両、しかも動力車ともなれば技術的な困難は計り知れない。しかし地道な改良で、スケールにより近くなった小径車輪や玉電200形のような特殊な走行装置をものにした。

しばらく新製品の動きが止まっていたが、2022年に入り都電7700形のカラーバリエーションや7700形のラッピングモデルなどが発売された。今後の新製品リリースにも期待したい。

東京都電7700形あお

東京都電7000形「更新車」“7070 花電車”

ポポンデッタ

河合商会から引き継いだ貨車はこれまでにもラインナップしていたが、
「安中貨物」の貨車セットを皮切りに
本格的な完成品メーカーとして新製品をリリース。

都営5500形浅草線はエネルギーチャージャー機能を搭載し、ライトのチラつきを防止する。

近鉄26000系さくらライナー。

模型メーカーとして実績を積む

模型店として全国各地に店舗を持つポポンデッタ。これまでも河合商会が扱っていた貨車をポポンデッタブランドで発売していたが、2017年発売の「安中貨物」の貨車である「タキ1200東邦亜鉛」「タキ15600東邦亜鉛」「トキ25000東邦亜鉛」から完成品模型メーカーとして本格的にスタート。

南海30000系『こうや』の製品化を発表後は、JR九州305系、相模鉄道20000系、東武鉄道500系リバティ、阪急電鉄1000系・1300系、東京メトロ銀座線1000系などを製品化。その後もキハ189系はまかぜ、西武20000系3代目L-train、つくばエクスプレスTX-3000系、都営5500形浅草線などをリリース。

ほかのメーカーにはなかった車両ラインナップで、Nゲージ界に新しい風を巻き起こしている。

TOMIXではじめる

Nゲージをはじめるために必要なものがそろった「ベーシックセット」。ラインナップも豊富で初心者のためにうれしい配慮がもりだくさんな内容だ。

画像提供◎トミーテック

走らせるための基本のセット

TOMIXの入門セットは「ベーシックセット」という名前で販売されており、新幹線や国鉄／JRの人気車両と線路・パワーユニットがセットになっている。

ここで紹介する『ベーシックセットSD E259系成田エクスプレス』は、E259系3両とレール・パワーユニットのセットだ。

線路はTOMIXの曲線線路としては標準的な半径280mmのカーブレールと、在来線車両なら4両分に相当する直線がつくれる直線レールが付属する。これを展開すると寸法は560×1120mm。事務用机の上にほぼぴったり収まる寸法となる。

セットに含まれる3両編成なら編成全体が直線区間に並び、バランスも悪くないが、増結して6両フル編成にするのであればストレートレールS280を2本追加し、6両が直線で並ぶように拡張すると見栄えがよくなるので、増結セットを買うときは線路も合わせて買うことをお勧めする。

パッケージ内容

ベーシックセットSD E259系成田エクスプレス (90184/17,820円)

【車両】クロE259-1（モーター付）×1・モハE259-1×1・クハE258-1×1
【制御機器】パワーユニットPU-N600×1・D.C.フィーダー×1
【レール】ストレートレールS140-PC(F)×1・ストレートレールS280-PC(F)×3・リレーラーレールS140-RE-PC(F)・×1・カーブレールC280-45-PC(F)×8
【付属品】リレーラー×1

①車両
E259系が3両。動力車は先頭車のクロE259-1に組み込まれている。

②線路
PC枕木を表現したファイントラック。リレーラー付き線路が付属するが、これは走行中に脱輪した車輪を自動的に復旧させるもの。

③パワーユニット
パワーユニットはN-600。1Aの出力を持つので、E259系を6両フル編成にして室内灯を付けても問題なく使用できる。

④付属品
付属品はリレーラーとDCフィーダー。リレーラーを使えばレールを指の脂で汚すことなく車両を載せられる。

セットバリエーション

種類がたくさんあるので好みの車両が入ったセットを選べるのもうれしい！

TOMIXのベーシックセットはJRの新幹線・特急型・通勤型のそれぞれポピュラーな車種と線路・パワーユニットがセットになっている。

車両はセットによって3両～5両と違っており、価格も車両の内容によって変わっているが、増結セットの車両と組み合わせることで無駄な車両を出さずにフル編成を組むことができる。

『ブルートレイン』だけは専用の増結セットが発売されていないが、これは単品のオハネ25やオハネフ25を買うことで好みのブルートレイン編成を組めばよい。

セットの曲線はすべて半径280mm。新幹線のベーシックセットでは少々窮屈に感じられるかもしれないが、テーブルトップのサイズで新幹線の走行を楽しめるのもまた価値がある。

ベーシックセット
SD 287系くろしお
（90166/17,600円）

ベーシックセット
W7かがやき
（90168/18,480円）

ベーシックセット
255系新快速
（90171/18,480円）

ベーシックセット
トワイライトエクスプレス
（90172 ／ 16,500円）

ベーシックセット
E235系山手線
（90175/17,600円）

ベーシックセット
223系新快速
（90180/21,780円）

ベーシックセット
EF210コンテナ列車
（90181/21,780円）

ベーシックセット
N700系(N700S) のぞみ
（90182/21,780円）

ベーシックセット
923形ドクターイエロー
（90183/21,780円）

ベーシックセット
ブルートレイン
（90185/19,800円）

ベーシックセット
E5系はやぶさ
（90186/21,780円）

ベーシックセット
E233系上野東京ライン
（90178/21,780円）

ベーシックセット
313系特別快速
（90188/17,820円）

もっと簡単にはじめたい人には

ベーシックセットよりひとまわり小さなエンドレスや引き込み線で遊べるセット。価格も抑えめなので貨物列車が好きならこちらもオススメ。

電気機関車
Nゲージ鉄道模型
ファーストセット
(90096/11,000円)

DF200 100形
Nゲージ鉄道模型
ファーストセット
(90095/11,000円)

小型ディーゼル機関車
Nゲージ鉄道模型
ファーストセット
(90097/11,000円)

親子で遊ぶならこれ

懐かしい国鉄形特急車両が入った入門セット。JRの車両とはひと味違った魅力をお子さんに伝えるのにもピッタリ。

思い出の寝台特急
583系
鉄道模型入門セット
(90089/25,190円)

思い出のL特急
485系
鉄道模型入門セット
(90090/25,190円)

押さえておきたいレイアウトパターン

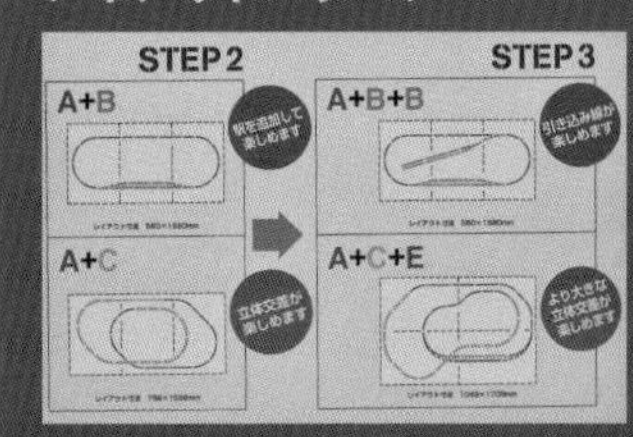

ベーシックセットを発展させたこの4パターンを組めれば、運転に変化が出て飽きることがなくなる。

レールセットの追加で高度な運転

入門セットのエンドレスで物足りなくなったら、レールセットを追加して線路のバリエーションをつくってみたい。

2種類の車両を交互に運転

待避線セット

(91026/8,360円)

待避線セットを使えば、ポイントの切り替えで待避線にひとつの列車を入れて、代わりに別の列車を走らせることができる。各駅停車と優等列車など、自分の好きな設定で複数の列車を走らせてみよう。

エンドレスにこのパターンを加えることで待避線をつくれる。

立体交差化セット

(91027/8,470円)

エンドレスに立体交差が加わることで走行距離が長くなる。ただ円を描くだけでなく、勾配を上り下りすることになるので、見た目にも列車の動きに変化が出て運転がさらに楽しくなる。

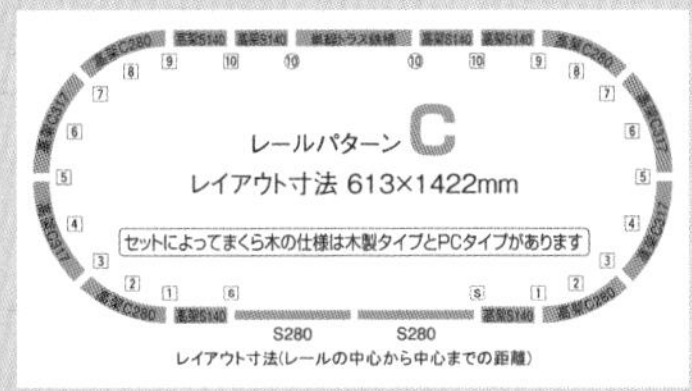

セットにはトラス橋も含まれるので自分なりの設定を考えてみよう。

もっと小さく遊ぶ

走らせるスペースの確保が難しいなら、車両1両でも走らせられるセットを活用しよう。

ミニ鉄道模型運転セット

机の上など小さなスペースで楽しめるスターターセット。セットを展開すると440×300mmという、雑誌をひとまわり大きくした程度のスペースで遊べてしまうのが魅力。ただしこのセットではレール上をすべての車両が走れるとは限らないので注意が必要だ。

ミニ模型運転セットのレールを組むと、A4サイズの本の外周をまわる程の大きさとなる。この大きさなら本棚や机の片隅などでも遊べる。

(90098/5,500円)

基本のレールがほしいならこれ!

レールとコントローラーを組み合わせたセット「マイプラン」も発売されている。車両はすでに持っていて、レールだけをセットで購入したい場合にお勧めだ。

待避線が入り、常点灯機能付きのコントローラーをセットした『NRII(F)』(90945 / 19,800円)

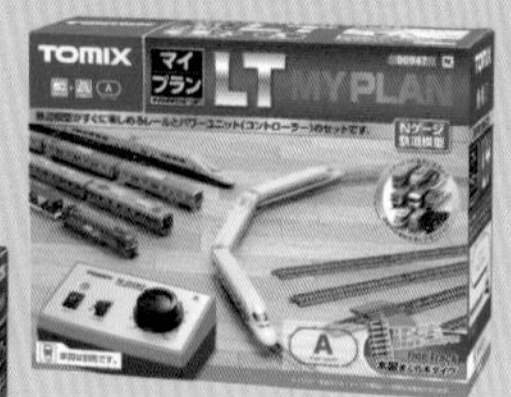

エンドレスのレールをセットした『LTIII(F)』(90947 / 7,700円)

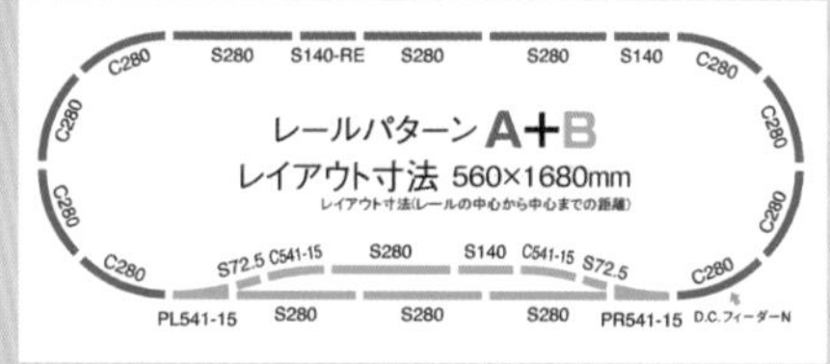

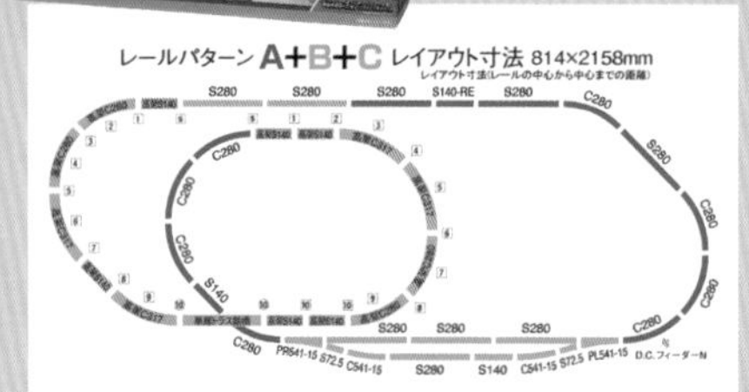

立体交差や駅、ホームもセットになった『DX-PC(F)』(90951 / 32,230円)

お手軽ストラクチャー

トミーテックからは簡単に組み立てられるストラクチャー「ジオラマコレクション」が発売されている。建物を並べると線路の一部が建物の陰に隠れ、エンドレスをぐるぐるまわってる感が消えるのでお勧めだ。

KATOではじめる

ユニトラック線路、パワーパック、車両がセットになったスターターセットは入門用に最適。ユニトラック「V線路セットシリーズ」を追加すれば、多彩な線路展開ができる。

新幹線を堪能する

スターターセットに含まれる線路は、たいていの場合単線のエンドレス。遊ぶ上では問題ないが、新幹線を走らせるには実感に欠ける。

そこで生まれたのが『E5系〈はやぶさ〉・E6系〈スーパーこまち〉複線スターターセット』。セットに含まれる線路は複線でPC枕木、曲線線路にはカントが付いており、高速で走る新幹線にふさわしい線路内容となっている。

スターターセットは「まずはこれだけ買えばひと通り遊べる」ことがポイントなので、複線運転を楽しむために当然車両とコントローラーは2セット入っている。

また、本セットのエンドレスは曲線半径が外側414㎜、内側381㎜と、標準的なKATOスターターセット(曲線半径315㎜)よりも大きくなっている。展開すると853㎜×1597㎜で畳1枚分のスペースを占有するが、迫力は満点だ。

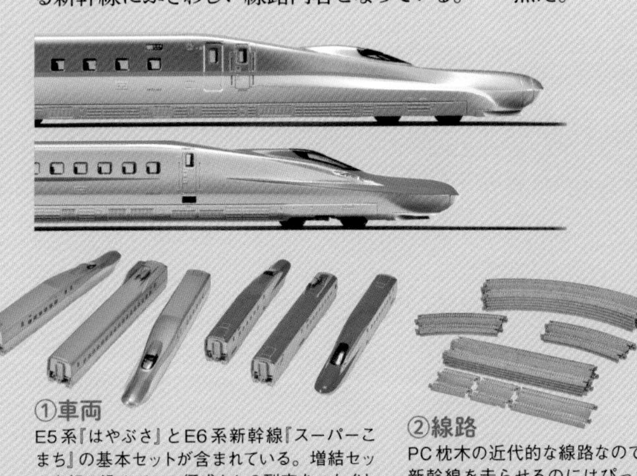

①車両
E5系『はやぶさ』とE6系新幹線『スーパーこまち』の基本セットが含まれている。増結セットを組み込んでフル編成とし2列車をつなぐと17両編成となる。

②線路
PC枕木の近代的な線路なので、新幹線を走らせるのにはぴったり。また、新たに『V13 複線高架線路セット』を購入し、新幹線は高架線、在来線を地上線と分けても楽しいだろう。

③コントローラー
容量1.2Aの『パワーパック スタンダードSX』が2台付属し、で内側・外側の2線を別々にコントロールして2列車のすれ違いが簡単に再現できる。

④付属品
複線ワイドアーチ架線柱が16本付属し、運転時の演出をリアルに盛り上げる。また、台車が車体に隠れている新幹線の車両は線路に載せるのが大変難しいので、リレーラーを有効活用しよう。

パッケージ内容

E5系＜はやぶさ＞・E6系＜スーパーこまち＞複線スターターセット 45,870円

【車両】E523-4・E525-104(モーター付)・E514-4・E611-6・E628-6(モーター付)・E621-6
【制御機器】パワーパックスタンダードSX×2
【レール】複線直線線路248mm×5・複線直線線路124mm×1・複線直線線路62mm×1・複線フィーダー線路62mm×1・複線曲線線路R414 ／ 381mm-45°×6・複線アプローチ線路R414 ／ 381(左)×2・複線アプローチ線路R414 ／ 381(右)×2
【付属品】フィーダーコード×2・リレーラー×1・ユニジョイナーはずし×1・複線ワイドアーチ架線柱×ランナー9・架線柱台×18

中身を徹底調査！
セットバリエーション

KATOのスターターセットは新幹線を中心にラインナップをつくっているのが特徴といえる。そのため、セットに含まれる曲線線路も新幹線の走行を考慮して半径315㎜となっている。

車両のラインナップは定番の新幹線を基本として在来線、蒸気機関車を用意するほか、アルプスの氷河特急＜グレッシャー・オン・ツアー＞もラインナップされている。最近ではJR東日本E235系山手線やJR西日本225系100番台「新快速」、EF210コンテナ列車などのスターターセットを発売している。

スターターセットに含まれる車両は3～4両。車両のセット内容は基本的に車両のみの『ベストセレクションシリーズ』に準拠しており、増結セットを買い足すことでフル編成にすることができる（EF210 コンテナ列車 Nゲージスターターセット・スペシャルは貨車を単品購入する）。

線路に関してもスターターセットの線路を基準にして拡張ができるよう線路セットが発売されており、スターターセット＋V1で待避線、スターターセット＋V2で立体交差、スターターセット＋V3で車庫線というように、目的別に初心者でもわかりやすく線路が組めるように配慮されている。

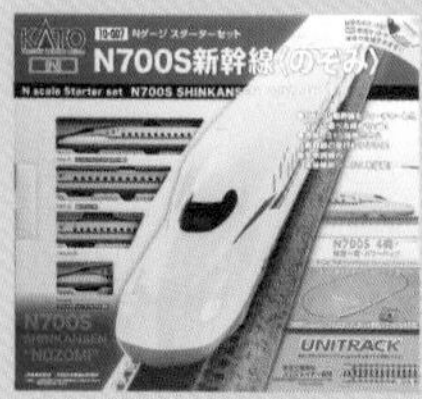

スターターセット
N700S新幹線『のぞみ』
（10-007/¥22,880）

スターターセット
阪急電鉄9300系
（10-009/¥21,670）

スターターセット
E5系新幹線『はやぶさ』
（10-011/¥21,670）

スターターセット
SL貨物列車
（10-012/¥24,750）

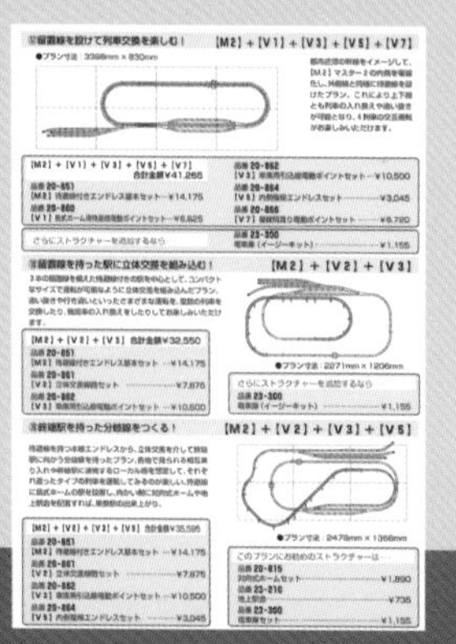
①留置線を設けて列車交換を楽しむ！　［M2］＋［V1］＋［V3］＋［V5］＋［V7］

●プラン寸法：3398mm × 830mm

［M2］＋［V1］＋［V3］＋［V5］＋［V7］ 合計金額¥41,265	
品番 20-851 ［M2］待避線付きエンドレス基本セット ¥14,175	品番 20-862 ［V3］複線用引込線電動ポイントセット ¥10,500
品番 20-860 ［V1］島式ホーム用待避線電動ポイントセット ¥6,825	品番 20-864 ［V5］内側複線エンドレスセット ¥3,045
	品番 20-866 ［V7］留置線用電動ポイントセット ¥6,720
さらにストラクチャーを追加するなら	品番 23-300 電車庫（イージーキット） ¥1,155

③留置線を持った駅に立体交差を組み込む！　［M2］＋［V2］＋［V3］

●プラン寸法：2271mm × 1206mm

［M2］＋［V2］＋［V3］ 合計金額¥32,550
品番 20-851 ［M2］待避線付きエンドレス基本セット ¥14,175
品番 20-861 ［V2］立体交差線路セット ¥7,875
品番 20-862 ［V3］複線用引込線電動ポイントセット ¥10,500

さらにストラクチャーを追加するなら
品番 23-300 電車庫（イージーキット） ¥1,155

⑤終端駅を持った分岐線をつくる！　［M2］＋［V2］＋［V3］＋［V5］

●プラン寸法：2478mm × 1368mm

［M2］＋［V2］＋［V3］＋［V5］ 合計金額¥35,595
品番 20-851 ［M2］待避線付きエンドレス基本セット ¥14,175
品番 20-861 ［V2］立体交差線路セット ¥7,875
品番 20-862 ［V3］複線用引込線電動ポイントセット ¥10,500
品番 20-864 ［V5］内側複線エンドレスセット ¥3,045

このプランにお勧めのストラクチャーは
品番 20-815 ¥1,890
品番 23-210 ¥735
品番 23-300 電車庫セット ¥1,155

貴重な資料

KATOのスターターセットには、遊ぶためのガイド『クイックスターターガイド』と線路の組み方を掲載した『プランバリエーションガイド』が付属する。

スターターセット
＜北陸路の近郊電車＞521系
（10-016/¥20,900）

スターターセット
ICE4
（10-017/¥24,420）

スターターセット
＜九州の快速電車＞813系
（10-018/¥22,330）

スターターセット
EF210コンテナ列車
（10-020/¥20,570）

スターターセット
キハ58系 急行形気動車
(10-023/¥19,800)

スターターセット
E233系3000番台
東海道線・上野東京ライン
(10-007/¥22,880)

スターターセット
E353系『あずさ・かいじ』
(10-028/¥24,530)

スターターセット
225系100番台＜新快速＞
(10-029/¥21,450)

スターターセット
E235系山手線
(10-030/¥19,800)

スターターセット
D51 SL列車
(10-032/¥24,200)

(10-021/¥20,240/2023年3月再生産予定)
(※写真は旧製品)

アルプスの氷河特急

KATOの「スターターセット アルプスの氷河特急＜グレッシャー・オン・ツアー＞」は、機関車+客車2両とエンドレスのセット。CV1エンドレス基本セット(半径R150)に、S248線路を2本追加と踏切線路をセットにした821mm×347mmの走行用ユニトラック線路にパワーパックスタンダードSXが付属し、簡単手軽にテーブルやデスクの上で楽しめる。

セットの線路では細長いエンドレスを組める。

路面電車も楽しもう!

路面電車の車両も各メーカーから続々と発売され、ラインナップも増えている。そんな車両を楽しむなら、路面軌道がおすすめ。KATOからは、Nゲージで路面軌道(トラム)を中心とした街づくりを楽しめる、コンパクトなテーブルトップのレイアウト(ジオラマ)システムの『ユニトラム』が発売されている。『ユニトラム』は街中を走る路面電車のシーンをプレートを組み合わせて手軽に楽しめ、しかも通常のカーブより小半径で走らせられる。

TV1 ユニトラム基本セット (40-811/¥20,900)

【セット内容】

・軌道プレート…直線軌道プレート124mm×2、曲線軌道プレート交差点 R180×4

・アクセサリーキット…電停パーツ3種、電停用シール×1、電停用ビス×4、中央分離帯×2、センターポール2種(直線用×1、曲線用×4)、道路フェンス×2、信号機×2、街路灯×1、ユニトラム用リレーラー×1、トラム用フィーダー×2、ユニジョイナーはずし×1、トラム用ジョイナー×18(プレート組込済含め全28)、プレートジョイナーA×12(プレート組込済含め全20)、プレートジョイナーB×4、共通ユーザーマニュアル×1

線路が延びれば延びるほど運転は楽しくなる
レールセットで拡張する

KATOの線路セットはさまざまな種類が発売されており、複線化、立体化、待避線など用途に合わせて組み込むことで発展するようになっている。

たとえば複線にしたいと考えたとき、新幹線を走らせるならスターターセットの線路の外側にもう一線エンドレスを敷いて、ゆったりした走行を楽しみたいし、スペースに制約があるなら内側にエンドレスを敷きたい。ユニトラックの線路セットにはどちらにも対応できるようなセットも用意されているので、目的に合わせて選ぼう。

初心者にも「分かりやすい」「買いやすい」
レイアウトプランを簡単に実現できる!
Nゲージ・ユニトラック線路「マスターシリーズ」

新幹線が走行可能な曲線R315を採用したパワーパック付きのエンドレス基本セットの「マスター1」、待避線付エンドレス線路基本セット「マスター2」にプランバリエーション「V線路セットシリーズ」をシチュエーションに合わせて組み合わせ、あとは好みの車両を走らせよう。

M1 エンドレス線路基本セット(20-852/¥10,010)

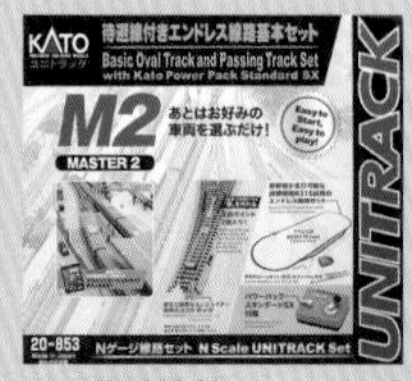

M2 待避線付エンドレス線路基本セット(20-853/¥18,150)

レイアウトプランを簡単に実現できるプランバリエーションセット
「V線路セットシリーズ」

V1 島式ホーム用待避線電動ポイントセット(20-860/¥7,150)

V2 立体交差線路セット(20-861/¥9,350)

V3 車庫用引込線電動ポイントセット(20-862/¥11,000)

V4 対向式ホーム用小形電動ポイントセット(20-863/¥8,800)

V5 内側複線用エンドレスセット(20-864/¥3,850)

V6 外側複線用エンドレスセット(20-865/¥3,960)

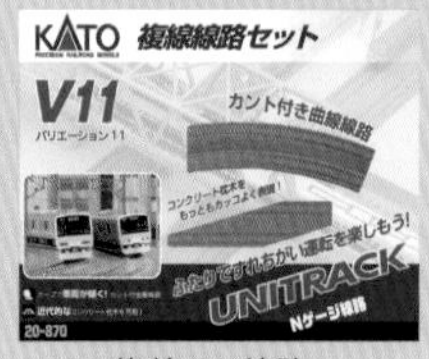

V11 複線PC線路セット(20-870/¥13,750)

V12 複線PC立体交差セット(20-871/¥18,920)

V13 複線高架線路基本セット(20-872/¥17,600)

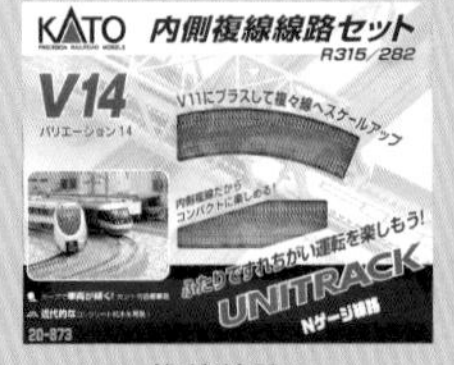

V14 複線線路セット(20-873/¥13,200)

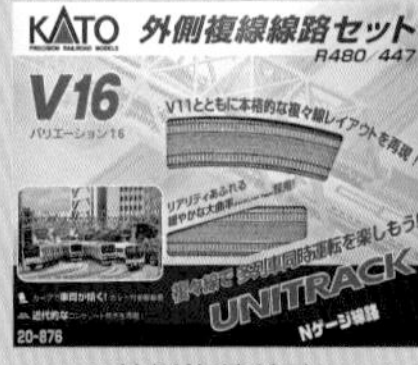

V16 外側複線線路セット(20-876/¥10,450)

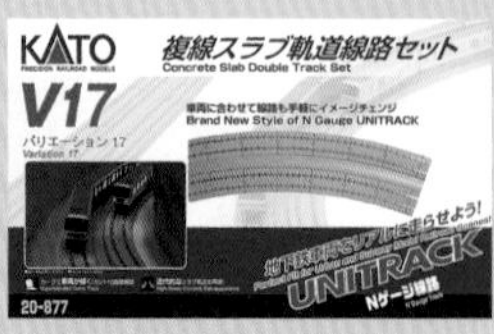

V17 複線スラブ軌道線路セット(20-877/¥8,800)

沼にはまろう！

Nゲージを深～く楽しむあれこれ

Nゲージをはじめると、あれもやってみたい、これもやってみたいと欲が出てくる。
もっと深いNゲージの沼にはまる入り口を紹介しよう。

自分だけのコレクション

テーマを決めて集めてみると、芯の通った統一感が生まれてくる。自分だけのテーマパークをつくるつもりで、車両を選んでみよう。

新幹線を運行する鉄道会社別でコレクションすれば、周囲を固める在来線車両もセレクトしやすくなる。

テーマを決めて集めてみよう

実車の博物館では、歴史的な名車や鉄道の歴史に大きく貢献した車両、地元ゆかりの車両など何らかの「テーマ」を決めて保存されるケースが多い。

鉄道模型の場合は、自分の好みで手当たりしだい車両を増やしていくケースもあるだろう。

しかし、ここでちょっと目先を変えてみよう。

たとえば「○○線の歴史」という集め方。テーマに選んだエリアや路線にゆかりのある車両を集め、模型でヒストリーを表現するのだ。古い車両から最新車両までさまざまな「時代」を感じられるコレクションになり、さらには過去と現在の車両を並べて走らせられる。機関車であれば「1号機」を重点的に集めてみてもいい。梅小路蒸気機関車館(当時)は保存車両の選定においてトップナンバーに近いものを選んでいた。

メーカー主導の例で、2017年におこなわれた『トミックスde総選挙』はDE10をテーマにしたカラーバリエーション展開、KATOの『飯田線シリーズ』は路線をテーマにしたコレクションを楽しむ例として参考になる。

演出家の気持ちで集める

鉄道車両には旅客用・貨物用・事業用など、役割によって異なるデザインがなされている。

それを意識し、その車両をより引き立たせるような集め方をしてもいい。

たとえば車庫に車両を並べるイメージで考えてみよう。私鉄の車庫であれば、その路線の花形である特急用車両、脇を固める通勤型車両、裏方の保線車両を並べてみると、私鉄のちょっとした車両基地のイメージができあがる。

蒸気機関車も、機種によって風景をイメージさせることが可能だ。

たとえばD型同形式の蒸気機関車を並べると補機が必要な勾配路線を、C型大型機が並んでいれば旅客需要が旺盛な幹線の機関区を演出できる。ディーゼル機関車を混ぜると蒸気関車が引退間際の時期を思い起こさせる。

このように、演出家の気持ちになってテーマを持たせて車両を集めると、よりリアルな世界が見えてくるのだ。

自分が好きな私鉄のモデルを重点的に集めていけば満足度の高いコレクションになる。

「スペシャル」に注目

**実車の世界ではクルーズトレインが花盛り。
乗車することはできなくても、鉄道模型なら自分のものとして好きに走らせられる。**

模型なら手に入る

JR九州の『ななつ星in九州』を皮切りに、クルーズトレインをはじめとする「列車に乗ること自体が楽しみ」な車両が各地で登場している。

鉄道模型でもJR東日本の『トランスィート四季島』やE655系『なごみ』といったスペシャルな車両が発売されている。また、近鉄の観光特急『しまかぜ』や運行は終了したがJR東日本の『現美新幹線』などもこの範疇に入れていいだろう。

鉄道模型のすばらしい点は、こういった豪華列車を一同に集められる点だ。クルーズトレイン保有会社の社長を気取って、日替わりで豪華列車を走らせるのは夢のある遊び方だ。

思いっきりドレスアップしよう

スペシャルな車両はドレスアップするとさらに映える。たとえばKATOの『四季島』では、購入者の7割近くが室内灯を導入したという。

室内灯を取り付けることでインテリアが目立ち、さらにプレミアム感が増すのは確かだ。加えてインテリアに色差ししたり、フィギュアを乗せたりすればさらに実車に近い雰囲気になる。『四季島』以外にも近鉄の『しまかぜ』や『カシオペアクルーズ』のように窓の大きな車両は、インテリアに手を加えることで臨場感やプレミアム感が大幅にアップするのでお勧めしたい。

スペシャルな車両は「旅をしているわくわく感」を演出すると、より走らせて楽しいモデルに生まれ変わる。

外観だけでなく、車内の再現にも力が入れられることが多い「特別」な車両。ちょっと手を加えるだけで自分だけの列車になる。写真◎金盛正樹

サードパーティ製品の活用

レーザーカッターや3Dプリンターの普及により、サードパーティメーカーが増えてきている。その中でも特に注目株なメーカーを紹介しよう。

甲府モデル

名前の通り、山梨県の甲府にお店を構える甲府モデル。

その多くはペーパー製の貨物車両。ラインナップは非常にユニークで、大物車のシキ180、車掌室付きの2軸無蓋車トフ7100などバリエーションに富んでいる。

基本的にこれらの貨車はトータルキットとなっており、こちらが用意するパーツはカプラーと車輪程度だ。台車の構造が複雑なシキ180や、連接構造になっている車運車、ク9100もペーパーで台車がきちんと稼働する仕組みとなっているのが驚きだ。

ほかには製品に恵まれていない国鉄の旧型客車もラインナップされている。こちらは、台車や床下機器などが別売だが、1両2000円代と非常にリーズナブル。

製品はインターネット通販や直営のレンタルレイアウト「パンケーキコンテナ」でも購入が可能だ。

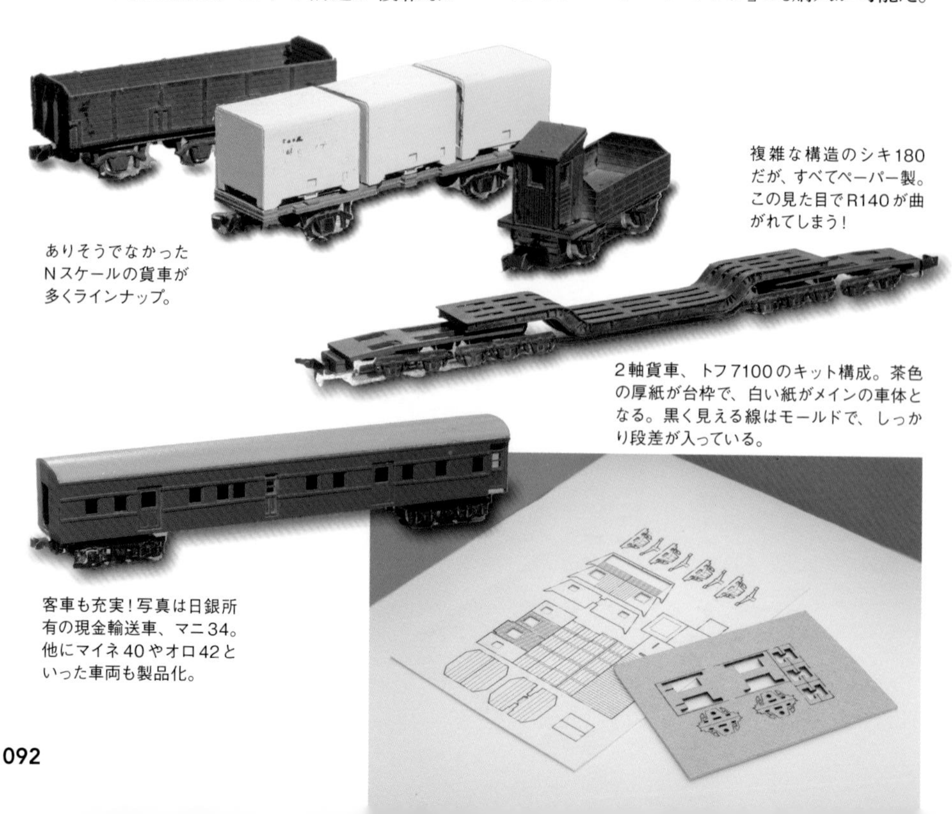

ありそうでなかったNスケールの貨車が多くラインナップ。

複雑な構造のシキ180だが、すべてペーパー製。この見た目でR140が曲がれてしまう！

2軸貨車、トフ7100のキット構成。茶色の厚紙が台枠で、白い紙がメインの車体となる。黒く見える線はモールドで、しっかり段差が入っている。

客車も充実！写真は日銀所有の現金輸送車、マニ34。他にマイネ40やオロ42といった車両も製品化。

はるを製作所

近年では完成品のユーザー取付けパーツが減ってきており、買ってきてすぐに楽しめる模型も多い。

お手軽に遊べるのはよいことだが、行き先表示などは印刷済みだったり、選択式のシール方式でも自分がほしいものがなかったりする。

マニアックな行き先や、ダイヤ改正などで新設された行き先などは、メーカーで対応に追いつかない場合もある。

そんな時に役に立つのがサードパーティーだ。

はるを製作所ではJRだけでなく、第3セクターや私鉄の行き先表示インレタを製品化している。

行き先表示といえば個別に切り出して貼り付けるシール方式を連想しがちだが、こちらの製品はインレタなので、切り出すといった手間が省けるので作業がしやすい。

LED表示の場合は実物のLEDのドットをしっかり再現したインレタとなっている。

他に同じ貼り付け系の製品で帯デカールなどもラインナップ。こちらは近年のステンレス車の帯を細かいマスキングなしに再現できる代物で、701系や719系用のものもあり、鉄コレ第26弾の車両の一部をお手軽に塗り替えることも可能だ。

イベント会場での販売やネット通販のほか、Models IMONでも入手が可能となっている。

また、模型加工も請け負っているので、製作依頼なども受付中だ。

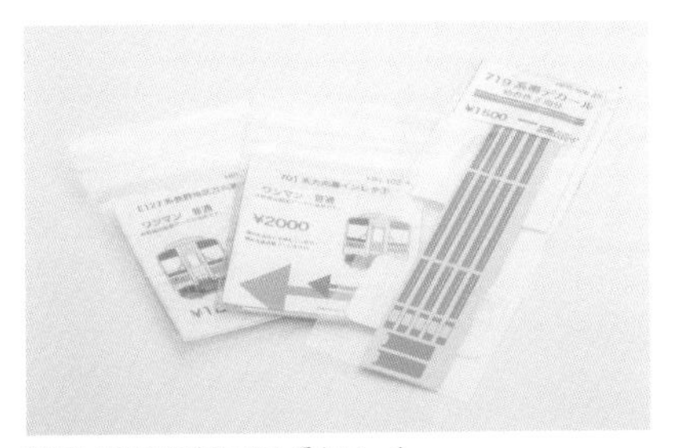

製品はE127系や701系といったJR型用が多め。キハ122用といった変わり種な製品もある。

事業社限定鉄コレ・東急3000系用に発売されたインレタも同社が設計している。

ちょっとした一手間でコレクションにも幅が広がる！

帯デカールの貼り付け方

印刷面を傷つけぬよう、慎重に切り出してから、デカールを水につけ15秒程度待つ。デカールが台紙から剥がれそうになったら、台紙ごと貼り付け位置へ持っていき、台紙をスライドさせる。

→

スポイトで、ごく少量の水をデカールに垂らしながら位置決め。位置が決まったら綿棒で水分をとる。はみ出しがある場合は、カッターで優しくなぞって剥がすときれいに仕上がる。

お手軽価格で満足度UP！

Nゲージの価格は上昇傾向。だが、ローコストでもしっかりしたつくりで楽しめるモデルがまだ健在。限られた予算のなかで大きな楽しみを見つけよう。

改造のベースにも最適

KATOの「KOKUDEN 通勤電車103系」(3両セット)、「LOCAL-SEN キハ20」(2両セット)。これらは4950円と3850円でかなりリーズナブル。それにコントローラー付の基本レールセットを追加すれば1万円+αでNゲージをはじめられる。

ライトも点灯せず、塗装もシンプルで今の水準から考えれば物足りなさを感じるかもしれないが、模型として非常によく特徴をとらえており、この103系の印象が一番好きというベテランモデラーも多いはず。20数年前までは完成品の低運転台の103系といえばこのモデルしかなかった。

これからNゲージをはじめる人にはもちろんオススメだが、他の模型と差別化を図りたい、もっと模型をつくることを楽しみたいと思われる方はこういったロングセラー製品を使ってディテールアップを楽しんでみるのもありだ。

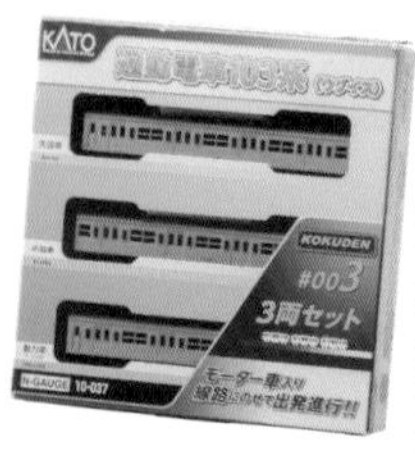

気軽に手を出せる価格がうれしいロングセラー。

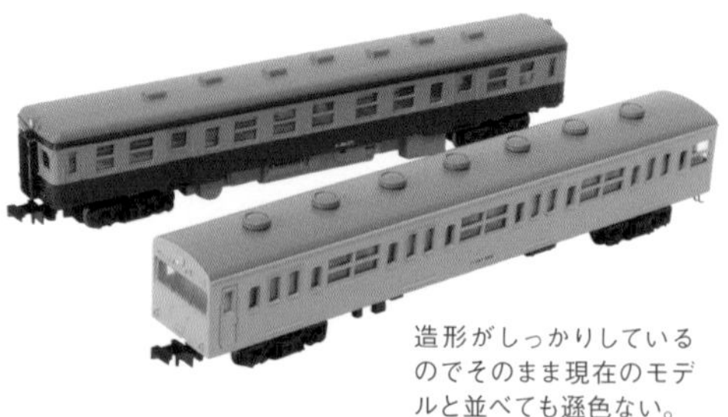

造形がしっかりしているのでそのまま現在のモデルと並べても遜色ない。

人形で情景にドラマを

人がいるからこその生活感を出すと、よりジオラマが生き生きとしてくる。

その演出にぴったりなアイテムが人形だ。最近は特定のシチュエーションを想定した人形も多数発売されているので、効果的に使いたい。

その場合、人形を配置する場所を考えてみよう。人が多く集まる場所といえば交差点やバス停、駅などがあげられる。ジオラマの中にそういった「場所」があるなら、そこに人形を追加してみよう。

たとえば、歩いている人形を配置するなら「どこに向かって歩いているか」を演出してみたい。ある商店に多数の人が向かっているなら、そのお店は町の人気店だという演出ができる。

車両基地公開をイメージしたジオラマに動きを出すため、トミーテックの「ザ・人間」シリーズを使って来場者を配置してみた。「鉄道員」や「撮る人」のパッケージ以外にも、「歩く人」「小学生と先生」「佇む人」などを使用。

ストラクチャーキットを愛でる

**ジオコレシリーズが充実してストラクチャーには不自由しない現在。
でも、自分でキットをつくりあげる喜びも捨てがたい。
そんなNゲージャーを満足させるのがグリーンマックスのキットだ。**

模型屋さんに眠るお宝

現在は緑色の箱に入って売られているグリーンマックスのストラクチャーキット。1980年代中頃からしばらくは小林信夫氏によるイラストが描かれていた。

今でも町の模型屋さんなどに行くと、その当時の製品がまだ売られていることがある。

もし中古屋さんなどで懐かしのパッケージ製品に出会ったら、一期一会だと思い購入して実際につくってみてはいかが?

木造校舎の学校

大迫力のパッケージで、当時最大級のストラクチャーとして申し分ないデザイン。学校本体以外のアクセサリーがわかりやすいように細かく描かれている。全長30㎝の超大型キットなのでしっかりスペースを考えてつくらないと痛い目に合うので気をつけたい(ちなみに筆者　は中学の時勢い買いしてエライ目に合った!)。

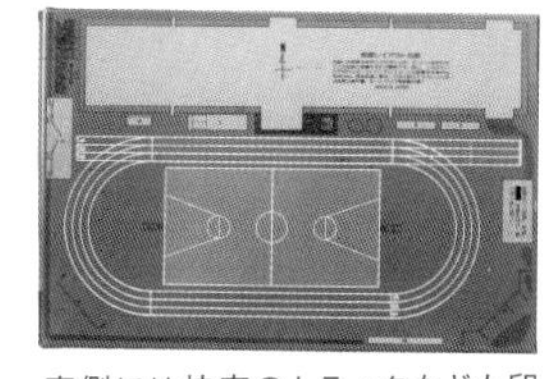

裏側には校庭のトラックなども印刷されていて完成品を置くだけでそれらしくなる。

「バス営業所」には箱の裏側に道路などが印刷されていた。

踏切

今では袋詰めの製品だが、当時は専用の箱があった。京急2000系が海辺を走るシーンと重なってとてもよいパースで描かれていて、キットを組立てるとこうなるという雰囲気が容易に想像できる。

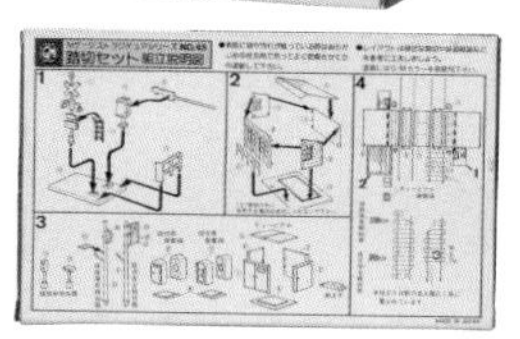

裏側には細かい機器の配置なども解説されている。

商店セット

巨大な輸送機とともに基地反対!など時代を感じる書き込みがあるが、中身はいたって普通のキット。今では地デジ化により見られなくなった形のテレビアンテナなど、当時の生活様式を知る上でも現実味のあるイラストだった。

三菱ふそう集塵車&バキュームカー

ポリバケツが倒れてゴミが散らばっているなど、現在ではあまり見られない光景が描かれているが、当時はごくありふれたもの。中身のキットはかなりの難易度なので心して取りかかりたい。

門と塀セット

パッケージには明らかに過積載なちり紙交換のトラックや道路への落書き、番犬を挑発する野良犬など現在ではなかなか見られない光景が広がっている。

“生きた”車両にする ウェザリング術

鉄道車両は程度の差はあるものの、大抵汚れている。近年ウェザリング用品も多く出揃ってきているので、昔ながらの手法を取り入れつつ、ウェザリング塗装を施してみよう。

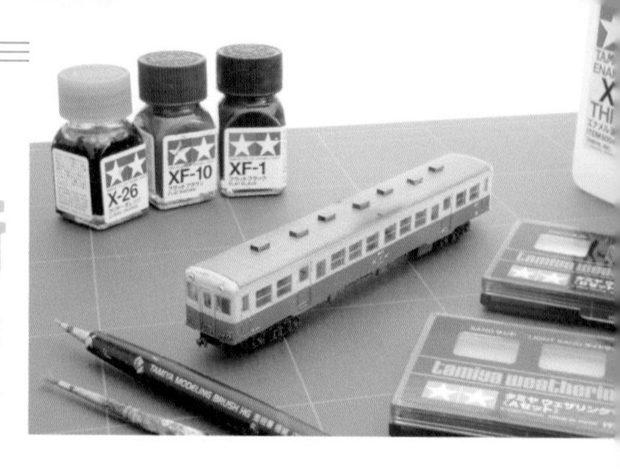

鉄道車両で意外に汚れているのが屋根。年季の入った車両などは補修痕なども目立ち、痛々しい外観になっていたりする。ここでは入門編ということでマイルドな汚し方にチャレンジしてみた。

ウェザリングマスターで色調調整

鉄道車両が汚れる要因は錆や油汚れのほか、雨などによる水垢、沿線の土埃などさまざまだ。これらに加え、紫外線などによる塗装の日焼けも影響する。

埃っぽさや日焼け感を出すのにお手軽なのが、ウェザリングマスターを使用する方法だ。パステルのような粉状の塗料を筆などですくって塗る方法で、屋根は色調を整えるために、スノーを全体に塗布。ボディも若干埃っぽくしたかったのでサンドを薄く塗っている。

1 ベース塗装

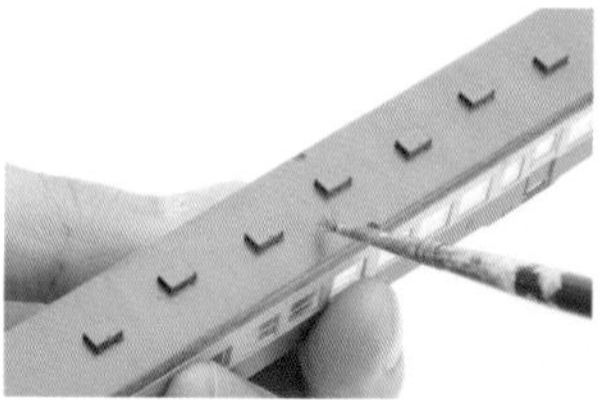

ウェザリングで重要になってくるのは、自然な“ムラ”。このムラをうまく表現するために、エナメル塗料を極端に薄めて塗る。ここではフラットブラックとフラットブラウンを1対1で混ぜ、少量のクリヤオレンジを加え、エナメル溶剤で5倍くらいに薄めて塗った。色は車両や線区によって変わってくるので、実物や好みで調整しよう。

2 拭き取り

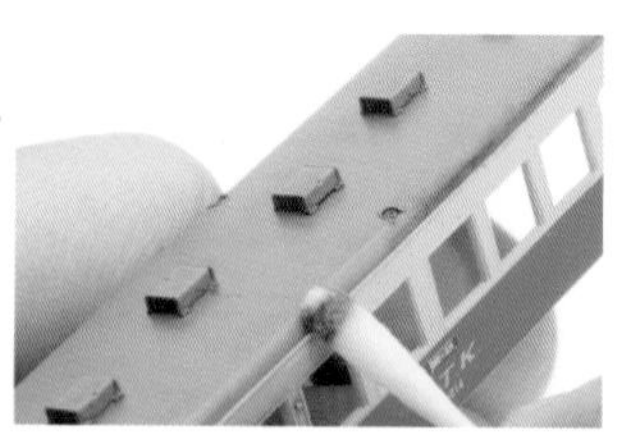

はみ出した箇所はエナメル溶剤を染み込ませた綿棒などで拭き取ろう。この拭き取り作業の際に、屋根の肩部分も一緒に汚れ塗装を拭き取った。実物の鉄道車両は洗車機を通った際、屋根の肩は洗車され比較的きれいになっていることが多いので、こういった一手間が効果的となる。

3 最後の一手間

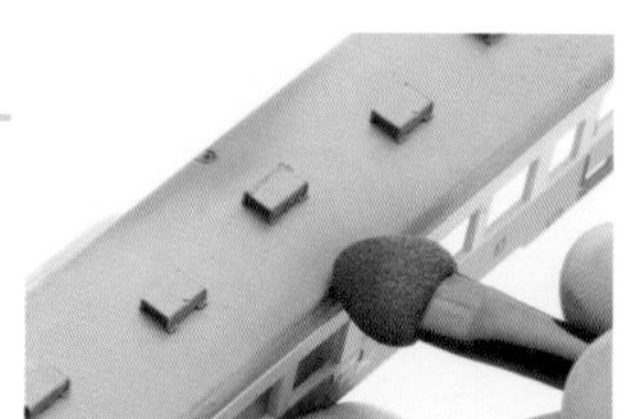

ウェザリングマスターには見慣れないスポンジの筆がついている。これが実は非常に優れもので、エアブラシがなくとも自然なグラデーションが描けるのだ。気動車でグラデーションが必要になってくるのは、排気管から生じるスス汚れだ。電車ならパンタグラフから生じる汚れもこのスポンジを使えばそれらしく仕上がる。

車体

車体の汚れも車両や環境、年代などによって大きく変わるが、ここでは比較的車体がきれいな汚し方を紹介。

1 | 下地塗装

凹凸の多い前面などは汚れが溜まりがち。そういった状態を再現するには、屋根と同様に薄めたエナメル塗料を塗る。ここでは2倍程度に薄めている。今度は色を落とすのが前提なので、最初はひと思いに凹凸の多い場所を中心に塗っていく。塗料は油汚れが多いと想定し、フラットブラックを中心にフラットブラウンを混ぜた。

2 | 色を落として調整

ある程度乾燥したらエナメル溶剤を染み込ませた綿棒で拭き取っていく。一気に拭き取ってしまうとせっかく塗ったところの色がすべて落ちてしまうので、溶剤の浸透率などをうまく調整しながら拭き取っていこう。この拭き取り具合で汚しの程度が決まるので、実物などを参考にしながら自分の好みで調整していこう。

床下の汚れ

鉄道車両で一番汚れている箇所といっても過言ではない。基本的には線路などの錆による茶色で汚れる場合が多いので、作例も錆色を使ってみた。

1 | 下地塗装

液状のエナメル塗料は尖っている箇所には色がのりにくい。対して、ウェザリングマスターは尖った箇所に色がのりやすいので、併用すれば凹凸の多い床下機器に汚し塗装がスムーズにできる。まずはフラットブラウンを基調にフラットブラックとクリアオレンジをそれぞれ少量混ぜたエナメル塗料を、2倍程度に希釈して全体に塗る。

2 | 仕上げ

エナメル塗料が乾燥したらウェザリングマスターで突起部などを塗っていく。実際の車両は全体が茶色くなるほど汚れてしまう場合も多いが、台車と床下機器がせっかく塗り分けられているので、下地の色がわかる程度に汚してみた。もちろん、これも好みの問題なので好きなように塗っていこう!

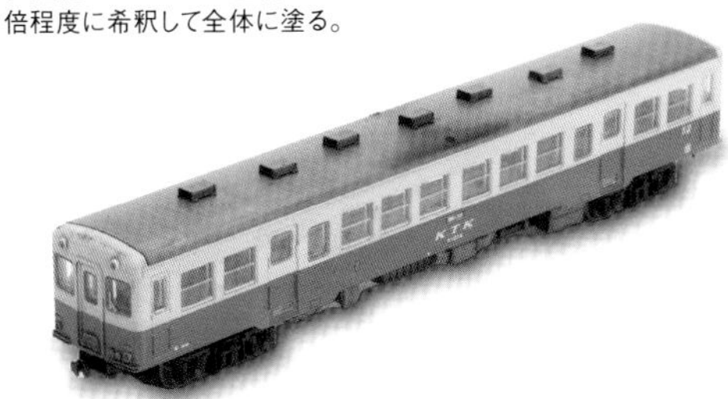

ウェザリングから得られる物語

鉄道車両は使用頻度や走っている地域の気候、また車両を保有する会社の性格などでも汚れ方が違ってくる。

たとえば、豪雪地帯を走る列車であれば付着する雪とともに泥汚れが一緒に付着し、車体全体が茶色く汚れる傾向にある。また、地方私鉄などは洗車の頻度が少なかったり、補修が追いついていなかったりするため、汚れの目立つ車両が多いこともある。

ウェザリングとはただ汚くするといった印象が強いが、汚し方によってはその車両にドラマが生まれることもあるのだ。

鉄道以外にも「動き」を導入

**せっかくつくったジオラマやレイアウト。
鉄道車両以外の乗り物にも動きを取り入れると活気づく。
鉄道模型をもっとアクティブに楽しんでみよう。**

バスコレを走らせる

ジオラマやレイアウトの世界では、動くものは鉄道車両だけで、ほかのものは時間が止まったように動かなかった。

主役は鉄道車両なのでそれはそれでかまわないのだが、「活きたレイアウト」を楽しむなら、他にも動くものがあったほうが断然楽しくなる。

TOMIXが発売している『バスコレクション 走行システム』は、バスコレに動力を組み込み、金属線の入った専用道路をバスが走るというもの。速度の調整こそできないものの、停留所に立ち寄って一旦停止ができるので、ただ走っているだけの単調な動きではなく、リアリティは十分だ。

これをレイアウトに組み込んでもっとも活きるのは、やはり路面電車との併走だろう。TOMIXからはワイドトラムレールという路面電車の専用軌道が発売されており、バスコレの道路もこの線路に規格を合わせてあるため、併用軌道が簡単に作成可能なのだ。

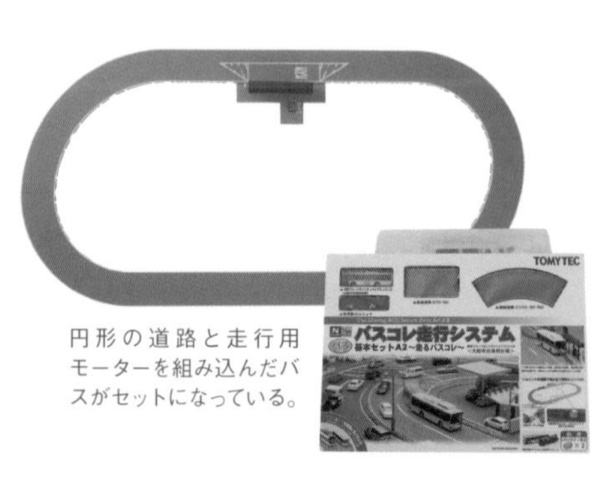

円形の道路と走行用モーターを組み込んだバスがセットになっている。

ワイドトラムレールと組み合わせれば、路面電車と併走させることも可能。

バス停に停めるか通過させるかを選択できる。

路面電車を走らせるジオラマに取り入れれば、実際にある光景に近い様子を再現できる。

発展し続ける奥深き世界
Nゲージ進化論

Nゲージはつねにめまぐるしい変化を遂げている。スタイル、ルックス、システム、走り、塗装など、その技術は日進月歩で発展しており、今なおその歩みをとめない。Nゲージの歴史を見つめ直し、Nゲージをはじめるとどんな“ワクワク”が待っているのかを想像しながら、Nゲージの未来に想いを馳せてみよう。

文◎児山 計・編集部　写真◎金盛正樹

Nゲージの進歩

**1990年代以降、Nゲージは大きく進歩した。
ここでは平成時代にスポットをあて、Nゲージをおさらいしてみよう。**

変わった意識、 変わった造形

平成時代、鉄道模型の世界ではさまざまな新提案が発表され、その一部は現在も受け継がれている。

連結器まわりで見ると、TOMIXのTNカプラーは1992年に発表された253系から採用された。また、伸縮カプラーは平成になる少し前、1985年にKATOが『サロンエクスプレス東京』で導入した。

Nゲージに限らず鉄道模型は連綿と「より実車に近づけるべく」さまざまな技法を編み出していった。

だが工作と異なり、メーカーの完成品はあくまでも工業製品。価格をある程度抑えながらリアルさを追求し、なおかつ多少ラフな扱いにも耐えられるようにしなくてはならない。

CADによって3次元的な造型が比較的容易につくれるようになり、さらに工作機械の精度が上がることによって細かな部品でも歩留まりが改善されれば「製品」としての道は開ける。

平成初期から中期にかけてメーカーはそういった試行錯誤を繰り返し、かつては一部の人たちだけが手に入れられたスーパーディテール作品並みの製品を普及品とすることに成功した。

平成以前のNゲージ

Nゲージは1/150～160という縮尺が基本だが、モーターの都合で蒸気機関車などは大きめにつくられたり、形態がアレンジされたりした。現在は小型モーターの登場で縮尺通りのシルエットを実現。客車と機関車がアンバランスな大きさになることもなくなった。

ファインスケール化されたC11(上) とそれ以前の製品では、同じスケールと思えないほど大きさが異なる。●いずれもKATO

ユーザーの意識も変わる

実車が6両程度の編成であれば「フル編成」を再現できたが、たとえば東海道新幹線の16両編成などははじめから「無理」とされており、6～7両に短縮して走らせるのが以前は普通だった。

エンドウの0系新幹線が5形式しか発売されていなかったり、TOMIXの100系新幹線が形式代用を多く含んでいたのは当然であり、ユーザーもそれを受け入れていた。むしろKATOの200系新幹線が237形を含め、主要形式を網羅していたことが驚かれた時代だ。

2000年代になると、レンタルレイアウトが増えてくる。自宅では無理にせよ、レンタルレイアウトでならフル編成を走らせることができるようになり、堰を切ったようにフル編成嗜好が加速した。

ユーザーの要望にメーカーも敏感に反応し、フル編成を最適に組めるような車両セットでの販売が中心となった。単品販売は機関車や貨車など少数派となり、お小遣いを貯めて1両ずつ車両を揃えていく「模型趣味」も昔語りになった。

ディテールの時代

1990年代に入り、ものすごい勢いで車両のディテールはリアルになっていった。TOMIXがHGシリーズ第1弾のキハ58を発売した際、価格は従来製品の倍近くになったがそれ以上の細密感がユーザーに支持され、今や定番製品となっている。

しかし、ユーザーの細密化に対する要望はとどまることを知らない。ディテールが細かくなればさらなるリアルを求め、特定の年代、特定の車番の車両といった製品がバリエーションで生まれるようになった

さらにこの流れを後押しするかのように、サードパーティやガレージメーカーが続々参入しドレスアップパーツを発売。首都圏では年に数回、即売会を開催できる規模で普及している。

スーパーディテール化のトリガーとなったTOMIXのHGシリーズ。従来のNゲージのレベルを超えたディテールが支持された。キハ58●TOMIX

column

平成初期のラインナップ

平成がはじまった頃、JRでは新型車両や豪華列車が多数登場していた。特にTOMIXは積極的に「現代の車両」を製品化した。これらのモデルは新しく若年層のファン心をつかみ、Nゲージ人口の拡大に大きく寄与した。

タキシードボディで話題となった651系や豪華寝台『北斗星』の関連製品などが続々と発売された。651系●KATO、EF81●TOMIX

車種の充実とシリーズ化

製品をたくさん発売したいが、人気車種には限りがある。
そこで生み出されたバリエーション展開。複数買いが定着した要因にもなった。

特定ナンバーと複数買い

実際の鉄道車両では、製造年次や改造により細部に違いが現れる。だが製品としての鉄道模型ではそれらを網羅するのは難しく、最小公倍数的なスタイルとせざるを得ない。

しかし、マニアックを極めると細部の違いが気になるもので、腕利きモデラーたちが細密化を施した模型などにも注目が集まった。

ファンがそういった細密化や特定化に注目し、サードパーティのパーツがそれなりの規模で流通するということは、完成品で発売しても需要があるとメーカーが見るのも自然な流れ。

1997年に碓氷峠のEF63が廃止になると、TOMIXが記念に茶色に塗り替えられた18・19号機のセットを発売したり、マイクロエースは1996年に蒸気機関車に参入した際、D51 498号機の特定ナンバーを市場に投入した。

特定ナンバーの効果として、複数買いの心理的抵抗が薄まった点が挙げられる。購入する際に「ナンバーも形も違うから…」と同じ車種を複数買うことに抵抗感がなくなった人も多いのではないだろうか。

塗装済みキットを経て完成品主体となったグリーンマックスだが、今でもキットを再生産して「つくる楽しさ」を広めることはやめていない。京急1500形●グリーンマックス

キットから完成品へ

「コレクション」の概念が定着すると、メーカーとしてもキットよりも完成品という流れになっていく。キットメーカーとして名を馳せたグリーンマックスも、塗装済みキットを経て完成品が主体となっていった。

カラーバリエーション

JR各社が地域色の車両を増やしはじめたのも、平成のはじめ。キハ40に至っては100を超えるカラーバリエーションが登場し、ファンでも全色把握できるかどうかというレベルで増加した。

これは模型メーカーにとっても商機だった。ひとつのモデルを色替えすればラインナップが充実するのだ。

「集める」楽しみを後押ししたカラーバリエーション。右からE233系3000番台●KATO、1000番台●TOMIX、0番台、6000番台●KATO、5000番台、7000番台、8000番台●TOMIX

マイクロエースのD51 498。D51だけで20種以上のバリエーションが展開されている。

マイクロエースの蒸気機関車

1996年にD51 498を発売し、そこから怒涛の勢いで多くの車種を製品化したマイクロエース。モーターサイズの影響でスタイルが崩れてしまう車種もあったが、特定機によるバリエーション展開はまさに平成らしい製品展開だったといえよう。

購入する側としても『チョコエッグ』ブームなどで火がついた「コンプリート（コンプ）」という概念に触発され、コレクターズアイテムとしての鉄道模型という楽しみ方が定着した。

これを強烈に推進していたのが、Nゲージ化もできる『Bトレインショーティー』だった。ブラインドパッケージとカラーバリエーションを二本柱に、コレクショントイとしての方向性を打ち出したのだ。

Nゲージに「集める」という楽しみ方が定着したきっかけのひとつを、このカラーバリエーションの充実が後押ししたことは間違いないだろう。

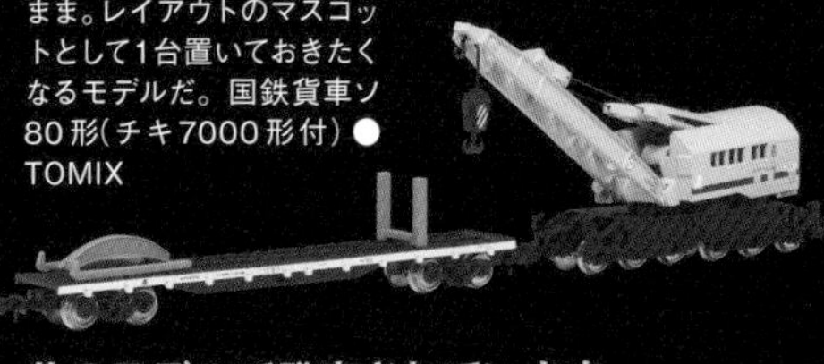

TOMIXのソ80は、車輪が変わった以外はほぼ昔のまま。レイアウトのマスコットとして1台置いておきたくなるモデルだ。国鉄貨車ソ80形（チキ7000形付）●TOMIX

昔のモデルで発売されています

ディテールアップされた完成品が増えたなかでも、昔の金型のまま現在も製造が続けられている車両がある。もとになる車両の造形がシンプルであるがゆえにあえてリニューアルする必要がない場合や、入門者用に価格を抑えるため、意図的に昔のままとしているケースもある。

小型動力で静かに走る都電6000形はファンの好評を得た。以来、小径車輪化などの改良を経てシリーズ化されていく。東京都電6000形●MODEMO

MODEMO参入

平成初期に鉄道模型（HOゲージ）のプラモデルを製造したハセガワが、1997年にNゲージに参入し、東京都電6000形を発売後は「MODEMOといえば路面電車」と認知されるほど、路面電車や小型車を100種類以上を世に送り出した。豊富なカラーバリエーションも人気。

カラーバリエーション！

103系のようなラインカラーは昔からあったが、JR化後は怒涛のように地域色が登場した。これらを精力的に製品化していった結果、コレクション趣味がNゲージの一角を占めるほどに成長した。

車両技術の発展

「走行派」にとってスムーズに動かない車両はストレスの元。メーカーも「自然な走り」を実現すべく改良を加えてきた。

フライホイール革命

鉄道模型は線路から集電してモーターをまわす。しかし線路は走行とともに汚れ、通電が悪くなると動きがギクシャクする。これは定期的に線路を磨くことで解消できる。

さらに車両側でもスムーズに走るようにしようという考えで生まれたのがフライホイールだ。

Nゲージで「しなのマイクロ」が70年代にフライホイールを搭載していたが、普及にはずみがついたのは2000年代に入ってから。TOMIXが2004年にDD51に、KATOが2005年にキハ82に採用してからは、フライホイール付き動力が標準となり、旧製品も順次、フライホイール付きに更新されている。

小型車の分野にいち早く参入しポジションを獲得したワールド工芸。銚子電鉄デキ3

小型モーターの充実

携帯電話の普及が鉄道模型にもたらした恩恵がまさにこれで、振動用の超小型モーターを使った小型車両登場のきっかけとなった。当初はトルクが小さく必ずしも走りはいいとはいえなかったが、後に改善され、ワールド工芸や津川洋行が積極的に小型車をリリースしている。

超小型の蒸気機関車を発売し話題となった津川洋行。有田鉄道 コッペル1号機

グリーンマックス新動力

グリーンマックスは2015年にコアレスモーター搭載の新動力を発表。低電圧から回転ムラのない滑らかな走りができるのが特徴。コアレスモーターには必須のフライホイールも装備され、これまでのグリーンマックス動力とは別次元ともいえる走りを実現した。

従来の車両にも取り付け可能で、車両の全長に合わせ複数のタイプが発売されている。●グリーンマックス

フライホイールの普及

フライホイールは通電が一瞬切れても慣性でモーターをまわし続けるため、走行時のギクシャクを解消し、低速での運転もなめらかになる。特性上コアレスモーターには不可欠なアイテムだが、通常のモーターではノイズの発生やパワーロスといった問題もある。

フライホイールのおかげでギャップを乗り越えるのも容易になった。●KATO

小型モーターとコアレスモーター

Nゲージにおいて、モーターの大きさは長らく悩みの種だった。特に小型機や蒸気機関車のようにモーターを搭載するスペースが小さい車両の場合、やむなくモーターに合わせて形態を崩さざるを得ないケースが多かった。

しかし、携帯電話の普及で超小型の振動用モーターが出まわると、これらのモーターを使用した小型車が登場しはじめる。

また、さまざまな製品に使われはじめたコアレスモーターは、低電圧で起動し磁界ムラが機構上出にくいのでスムーズな走りが期待できる。

モーターの進化によってこれまででは考えられなかったような小型車両やスムーズな走りが得られたのが、平成年間における進化だったのだ。

column

コントローラーの充実

車両側だけでなく、電源を供給するコントローラーも相応の進化を遂げている。基本性能の向上や運転を楽しむためのシステムを見てみよう。

電圧型からPWM型へ

かつてコントローラーといえば可変抵抗を使って電圧を変化させる方式が主流だったが、現在では低速側をより滑らかに加速させるためにPWM式が主流となっている。

TOMIXは常点灯に対応するため、1993年のオペレーションユニット-CLからPWMを採用。入門機に電圧式がまだ残るものの、主力のパワーユニットはおおむねこの方式となった。

KATOも2017年に電圧式のスタンダードSをPWM式のスタンダードSXに変更。こちらはエントリーモデルをPWM方式にしたという点で注目された。

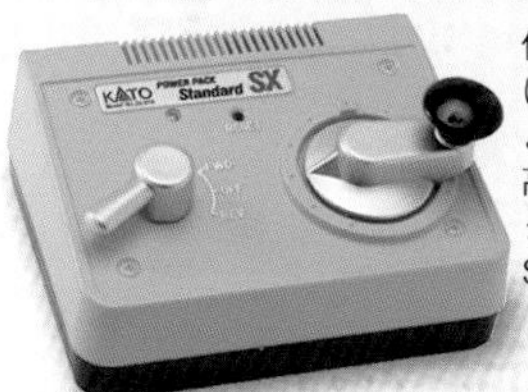

低価格の割に使い勝手がよいと評価の高いKATOスタンダードS。SX●KATO

ワイヤレス・パワーユニットN-WL10-CL。場所を選ばず操作できる利点は運転会やレンタルレイアウトで効果的。●TOMIX

運転台型コントローラーの先駆け、『ECS-1』。当時は¥78,000もしたが、その満足度は高かった。●KATO

サウンド付き運転台型パワーユニットN-S2-CL。¥128,000と高価格ながら、サウンド付きのパワーユニットということで注目を集めた。●TOMIX

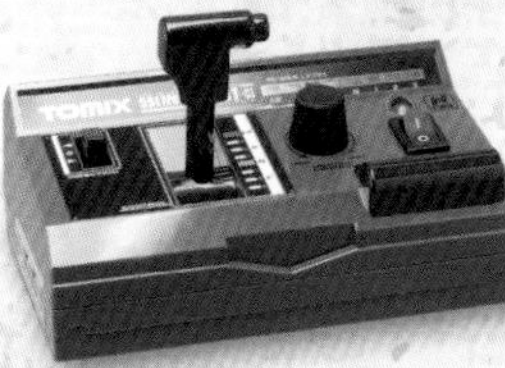

N-DU-101はPWM制御のスタンダードモデル。コンパクトながら運転台をイメージした形状。●TOMIX

進化したカプラー

**世界標準のアーノルドカプラーは優れた性能を持つが、見た目が今ひとつ。
そこでメーカーはよりリアルなカプラーの開発に取り組んだ。**

リアルさか利便性か

アーノルドカプラーは連結解放が容易で頑丈、低価格という優れたカプラーだ。しかし、車両のディテールが精密化してくるとカプラーまわりとそれ以外の精密度がアンバランスになってきた。

そこで、TOMIXはよりリアルな連結器を1991年発売の253系に装備した。その名もTNカプラー。

外見はリアルスケールよりやや大きいものの、それでも充分に小さな密着連結器でリアリティは大幅に向上した。さらにカプラーをボディマウント化することで、車端部の床下表現が可能となるといった利点も生まれた。

昭和時代ならダミーカプラーかアーノルドカプラーの二者択一を迫られた先頭車が、ダミーカプラー並みのリアリティを持ちながらも連結可能となれば、多少価格が上がろうとも支持しない手はない。

TNカプラーはファンに積極的に受け入れられ、MODEMOやグリーンマックスなどもTNカプラー対応をうたうなど、事実上の標準として定着した。

連結間隔を詰めたKATO

一方、KATOは別の方法でリアルを模索していた。それは連結間隔の短縮だ。

鉄道模型は実車ではありえない急カーブを曲がる関係で、連結間隔を広く取っていた。

TOMIX × KATO

1991年にTNカプラー密連型を発売したのち、自連型も発売。さらにはEF63の双頭型連結器も製品化するなど、ラインナップが充実。分売パーツも充実しており、他社製品でもTNカプラーに対応するほどになった。

自連タイプ。ナックルを押し付けて自動連結・解放するアーノルドカプラーよりも圧倒的に小型で形状もリアル。

密連型はスケールよりやや大きめの形状だが、見た目と実用性を両立したカプラーとして歴史に残る製品だ。

KATOカプラー密連型／自連型をそれぞれ発売。このほか、機関車列車に使うマグネマティックカプラーもラインナップに加わっている。密連型にはフックがないタイプも登場しているが、フックタイプとの互換性はない。

伸縮機能を持った自連型。なお、アーノルドカプラーからの交換は台車マウント型のみとなる。

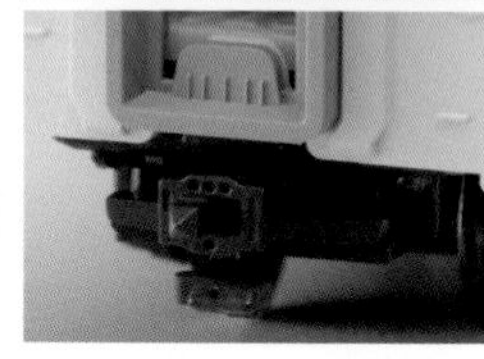

密連型はエアホースのモールドがついているのが特徴。連結器自体はダミーで、下部の電連を模したツメを引っ掛けてつなぐ。

伸縮機能でリアルな連結面

実車ではありえない急カーブ対策に大きなマージンが取られていた連結面を、カプラーの伸縮という形で解決したのが伸縮カプラー。古くはKATOが『サロンエクスプレス東京』で導入したが、現在では小型のカプラーと合わせてリアルな連結面の演出に一役買っている。

カーブではカプラーのガイドが動き、カプラーごと内側によることで車両を接触させずにカーブを曲がる。JR24系25形●TOMIX

直線区間では幌枠がくっつくぎりぎりのところまで車間が詰まっている。JR24系25形●TOMIX

これを是正すべく開発され、14系『サロンエクスプレス東京』に採用されたのが伸縮カプラーだ。この製品はアーノルドカプラーながらカーブで連結間隔を広げられる工夫がなされている。

KATOでは新幹線のダイヤフラムカプラーも含め、伸縮カプラーを積極的に採用している。

TOMIXもTNカプラーに伸縮機構を持たせている。さらに新幹線に関しては通電対応として編成内の全車輪から通電する通電カプラーを採用し、走行安定性を高めている。これもまたカプラーの進化だ。

実車と同じように自連・密連の両方が機能する双頭カプラー。EF63●KATO

双頭連結器

EF63やEF64の一部には、電車と連結できる双頭型のカプラーを装備した機関車がいる。それを模型でも再現するべくKATO・TOMIXとも双頭カプラーを開発した。見た目だけでなく実際に密連・自連とも連結可能。連結器に関しては平成年間に大きく変化した。

それでもアーノルドカプラー

新しいカプラーの登場で肩身の狭いアーノルドカプラーだが、いまだ扱いやすさ・つなぎやすさ、価格の安さではほかのカプラーの追随を許さない。外見にこだわるにしても、両先頭車だけリアルなカプラーにして、中間はアーノルドカプラーにするという方法だって「アリ」だ。

比較的台車が奥まった車両の中間部なら、今でもアーノルドカプラーは優れたパフォーマンスを発揮する。JR24系25形●TOMIX

Mカプラー

機関車と客車・貨車の連結・解放を手軽に楽しむため、TOMIXは古くからアーノルドカプラーに磁石を組み込んだMカプラーを機関車に採用していた。見た目はゴツく仕掛けは単純だが、それ以上に列車に手を触れず仕立てるおもしろさがあった。

磁石がカプラーを吸引して解放ができる。うまく操作すれば突放や遅延解放のようなこともできる。

照明の充実と多様化

**LEDの普及で鉄道模型における「光」は大きく進化した。
車両、ストラクチャーとも、さらにリアルな光を求めて発展中だ。**

LEDの登場

鉄道模型でLEDを光源に使いはじめたのはTOMIXのヨ8000やDF50など。1980年代から採用しているが、光量や色の問題からそれほど普及しなかった。

本格的にLEDが使われだしたのは21世紀に入ってからで、2001年にTOMIXがLEDの室内灯を発売、KATOも同様の製品をラインナップしたことで世代交代がはじまった。

価格面では従来の電球より割高だが、LEDは色が選べる点と消費電力の小ささが魅力。電球では文字通り「電球色」しか出せないが、LEDなら白色・昼光色・電球色など思いのままに設定できる。旧客で白熱灯の車両と蛍光灯の車両を混結するといったことも容易なのだ。

また、消費電力も電球の半分以下なので、長編成の列車に室内灯を組み込んだ際に電力供給の面で大きなメリットとなる。

電球からLEDへ

Nゲージの歴史のなかで、光の分野で起こった最大の変化がLEDへの移行だ。80年代のLEDは色、光量ともに今ひとつだったが、2000年を前に性能が改善した。

室内灯の色温度を選べるのもLEDの特徴。電球時代の白色は電球に青の塗料を塗ったりして表現していた。東京臨海高速鉄道70-000形(りんかい線)(LED)●TOMIX、165系(電球)●KATO

事業用車の照明ギミック

車両の照明は室内灯だけではない。East-iやマルチプルタイタンパーのような事業用車、最近ではE235系の投光器のように車外で光る照明もある。模型でもこれらを再現したものが存在するほか、サードパーティからは架線スパークのような光を出すLEDも発売されている。

East-iの投光器。上から見る模型において効果的なギミックだ。E926系新幹線電気軌道総合試験車・East-i●マイクロエース

夜間工事の多いマルタイに灯りをつけることでよりリアルな表現が可能になった。マルチプルタイタンパー 09-16東鉄工業色●グリーンマックス

2号車と6号車のパンタグラフ付近に設置された「検測用投光器」が点灯式で再現されている。923形3000番台<ドクターイエロー>●KATO

コアレスモーター車との相性や通電の問題など、まだ発展の余地がある常点灯システム。キハ181系特急ディーゼルカー『しなの』●TOMIX

常点灯システム

モーターが反応しない高調波を線路に流し、停車中でも灯りが消えないようにしたのが常点灯システム。これによって駅に停まると停電状態になってしまうようなことはなくなった。

広がる照明の世界

LEDは出力される電気の極性と許容電圧さえ守っていれば小電力・小発熱でさまざまなものに組み込むことができる。レイアウトの建物はもちろん、小型の利点を生かして自動車のヘッドライトやパトランプ、信号機や街灯などに取り入れた製品も登場している。

さらには、車両のヘッドライトと識別灯の色を変えたり、食堂車のランプシェードを点灯させるなどより細部にこだわった表現も登場している。

現在、さらなる「光のリアリティ」を目指してサードパーティが多数参入し、さまざまな製品によって色とりどりの世界を生み出している。

column

灯りによる演出

LEDは素子が小さくても明るいので、電球時代では光ファイバーでかろうじて照らしていた小さな光も明るく照らすことができる。24系『北斗星』のランプシェードやコンテナの表示灯などは、LED時代だからこそなしえた照明だろう。

室内灯だけでなくランプシェードも実感的に光る。24系『北斗星』●KATO

トレインマーク、テールライトに連動して車掌室内の配電盤のランプも点灯する。24系25形0番台カニ25●TOMIX

貨車のデッキのテールランプも超小型LEDなら点灯可能。ディテールを崩すことなく灯りが点くのはまさにLEDのおかげだ。コキ106、ヨ8000●いずれもTOMIX

多彩な光の演出で新たなステージへ

サードパーティも充実

2000年代に入り、サードパーティも積極的に照明の世界に参入したきた。TORM（タムタム）やポポンデッタは光量均一かつチラつきにくい室内灯を発売しているほか、ジオラマ用品メーカーのDDFは街灯や信号といった照明を製品化している。

光量の均一化が自慢のTORM室内灯と、キャパシタを組み込みちらつきを抑えたポポンデッタの室内灯。LED室内灯 幅狭タイプ（白色）●TORM、LED室内灯 エネルギーチャージャー付（青白色）●ポポンデッタ

ポポンデッタのものは実車の照度を意識した実感的な標準モードと、明るさ優先の高照度モードの選択ができる。

ホームにも光を

室内灯付きの車両が駅に到着しても、ホームが真っ暗では興ざめ。そこでホームにも証明付きのものが登場。灯りは情景に活気をもたらす効果があり、駅や建物に明かりがともるとジオラマが格段にリアルになる。

島式ホーム(都市型)照明付
●TOMIX

近郊形ホームDX
島式セット●KATO

駅のホームに照明があるだけで遊び方や表現方法も広がる。
281系『はるか』、323系●ともにKATO

線路システムの変革

互換性を維持しつつ、利便性を上げなくてはならないのが線路。少しずつ大きく変化したシステムを見てみよう。

ファイントラックの登場

TOMIXが道床付き線路システムを、KATOがユニトラックを発表して以来、Nゲージのインフラはこの2社によって支えられてきた。

KATOのユニトラックは道床のデザインを変えたが、線路はこれまでとの互換性も重要なので、システム自体は変わっていなかった。

TOMIXも茶色道床からグレー道床に、そしてファイントラックへと変化していったが、基本寸法やシステムは上位互換の形をとっており、茶色道床とグレー道床、グレー道床とファイントラックは相互に接続が可能だ。

ポイントもシステムが変わり、これまでの片側選択式から完全選択式に変わっている。片側選択式と完全選択式の違いは一見ユーザーにはわかりづらいが、完全選択式を採用することでリバースや渡り線での配線が簡

ファイントラック登場

茶色道床からグレー道床に線路のデザインを変えたTOMIXが、さらにシステム全体を変革したのがファイントラックだ。道床の質感を向上させポイントを完全選択式にしたほか、ジョイナーにも改良を加えた。また、ミニカーブレールもこの時に登場した。

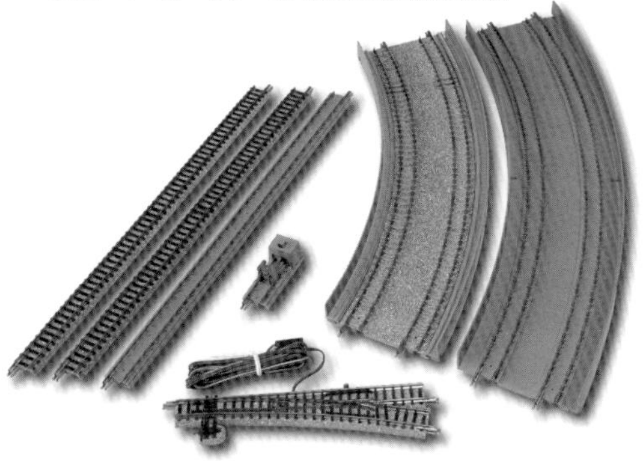

ジョイナー先端の弾力性を高めて通電性能がアップし、レール同士の接続もより簡単になった。

カント付きレール

カーブで1度ほど線路を内側に傾けたカント付きレールはKATOが先行して発売。組み合わせに制約はあるものの、車両が内側に傾いて走る姿はなかなかかっこいい。また、TOMIXでもラインナップされている。

車両が内側に傾くカント付きレール。走行車両や走行速度には注意が必要だが、カーブで内側に傾く姿は見る者を魅了する。カント付き曲線線路、E351系『スーパーあずさ』●いずれもKATO

茶色道床とファイントラックをつなぐ。道床表現の向上やジョイナーが改良されているが、互換性は保たれている。

単になるというメリットがある。これによってあまり電気のことを知らなくても複雑な線路配置を楽しめるようになった。

路面軌道・小半径カーブの充実

路面軌道システムと小半径カーブ線路の登場も大きな出来事。

TOMIXが発売したミニカーブレール・スーパーミニカーブレールは、「既存の車両の大部分が走れない」小型車両専用の線路として登場した。

これまでは新幹線のような例外を除き、原則として発売したすべての車両が走れる線路しか発売してこなかったことを考えれば大きな転換点といえる。

このシステムは路面電車にマッチするもので、KATOも追随して「ユニトラックコンパクト」を発売。さらにジオタウンと融合した「ユニトラム」システムに発展させた。

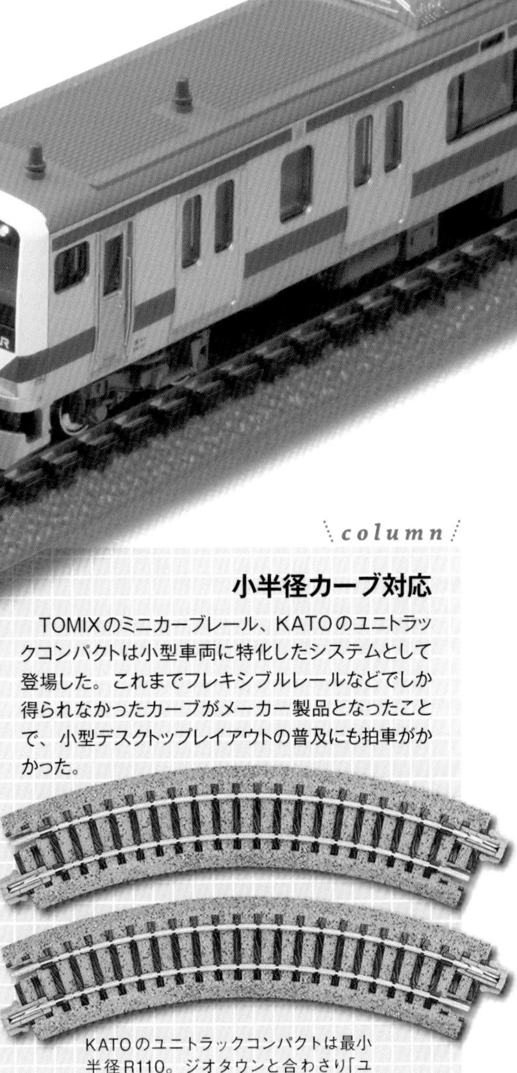

column

小半径カーブ対応

TOMIXのミニカーブレール、KATOのユニトラックコンパクトは小型車両に特化したシステムとして登場した。これまでフレキシブルレールなどでしか得られなかったカーブがメーカー製品となったことで、小型デスクトップレイアウトの普及にも拍車がかかった。

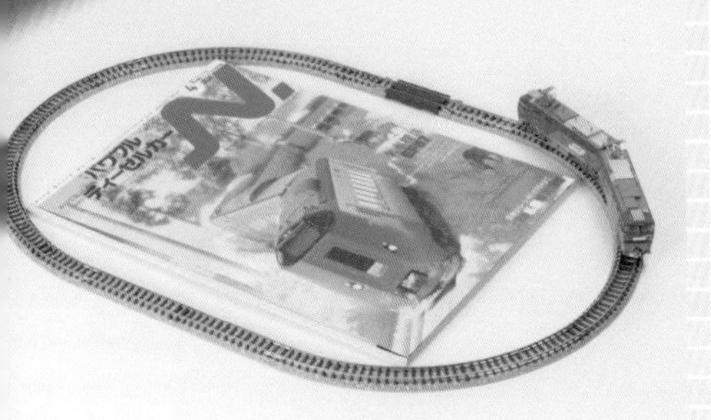

TOMIXのスーパーミニカーブレールは、最小半径がR103。その気になればA4サイズのレイアウトも視野に入る。

KATOのユニトラックコンパクトは最小半径R110。ジオタウンと合わさり「ユニトラム」システムとして発展。

キットをつくろう！

ほとんどの車両が完成品でそろうNゲージ。
だが、手間暇かけて自分でつくる1両には、完成品にはない愛着が持てる。
基本的な組み立て方を覚えて、いろいろな車両にチャレンジしてみよう。

グリーンマックス 国鉄クモニ83形キット

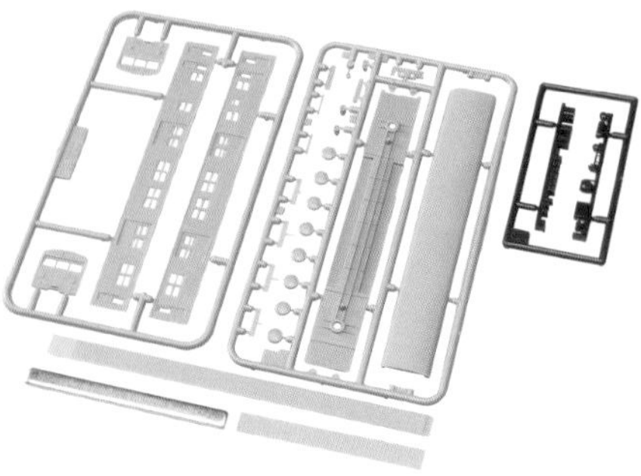

パッケージとパーツは
このようになっている。

ボディの組み立て

接着はプラモデル用の接着剤を使うのが基本。
瞬間接着剤や流し込み接着剤はあくまでもサポート。

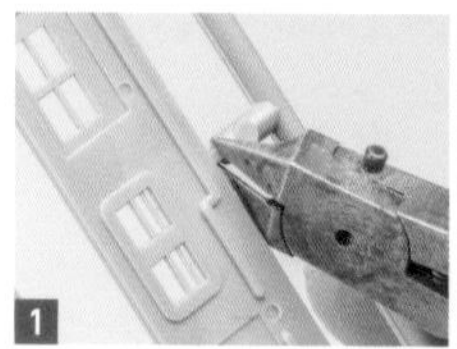

1 パーツの離れたところをニッパーで切る。

2 根元の部分のバリをカット。

3 カットした跡をヤスリできれいにする。

4 窓枠に残っているバリを確認。

5 ヤスリできれいに処理をする。

6 処理が終わった状態。

7 正面は必要に応じてディテールアップ。

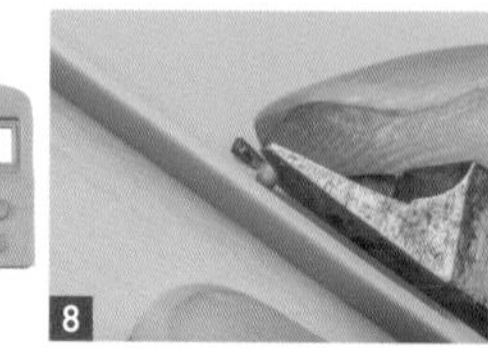

8 屋根パーツのバリを切り取る。

9 残った部分をさらにニッパーでカット。

10 カットした跡をヤスリがけする。

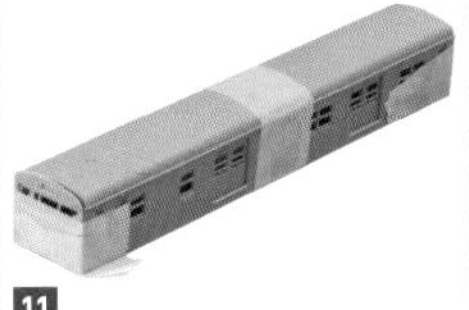
11 マスキングテープを使いボディを仮組。

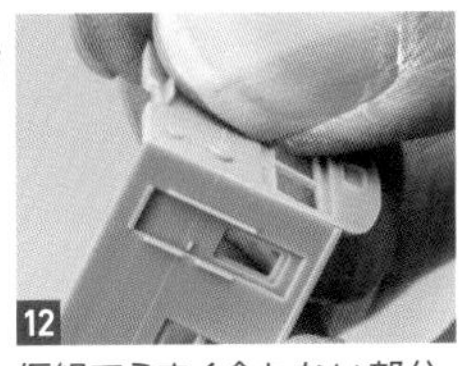
12 仮組でうまく合わない部分を確認。

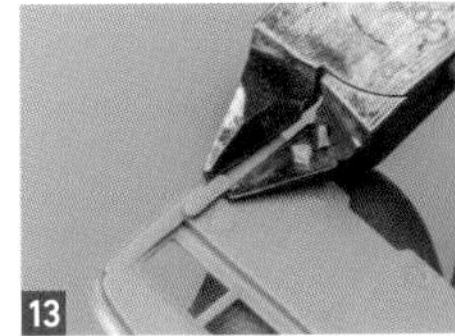
13 前面パーツのリブ下部をカット。

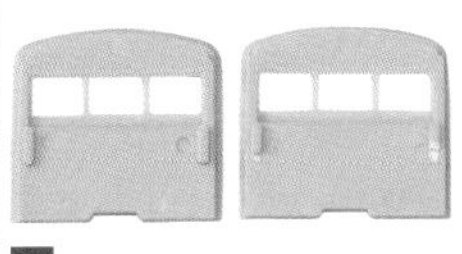
14 加工前（左）と加工後（右）。

15 接着する部分をヤスリでざらざらにする。

16 屋根パーツのリブが左右で違うことを確認。

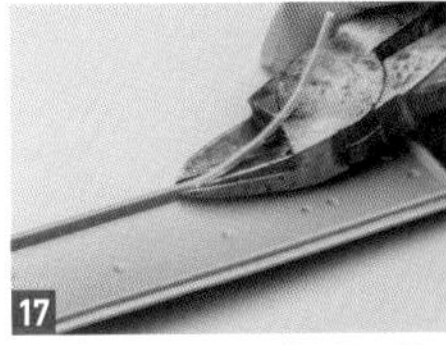
17 幅が狭い方のリブを切り取る。

18 切り取った部分をヤスリがけする。

19 加工が終わったパーツを並べて確認。

20 前面と側面を組みL字にする。

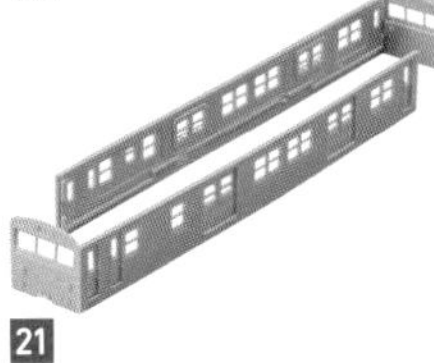
21 左右同じように組み合わせる。

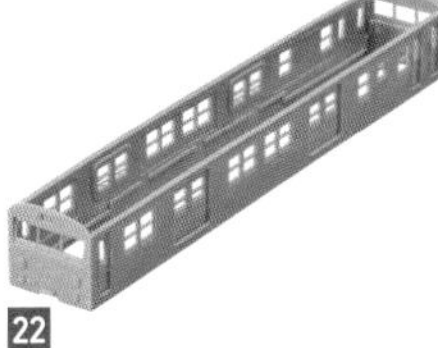
22 両方を接着し箱状にする。

23 屋根をボディにのせる。

24 ボディ裏側から接着剤を付け固定。

25 ボディの組み立て完了。

ボディの加工

前面と屋根パーツの間に隙間ができるので
埋める作業をする。
この一手間が完成度を上げることにつながる。

1 前面と屋根の間に隙間があるのを確認。

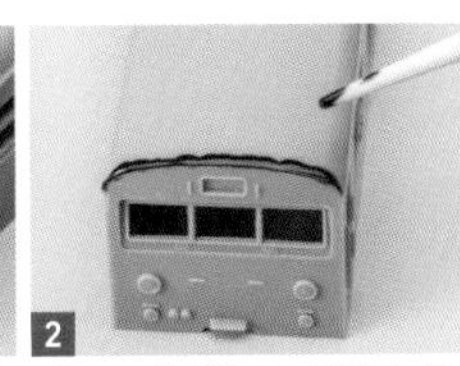
2 パテなどを使って隙間を埋める。

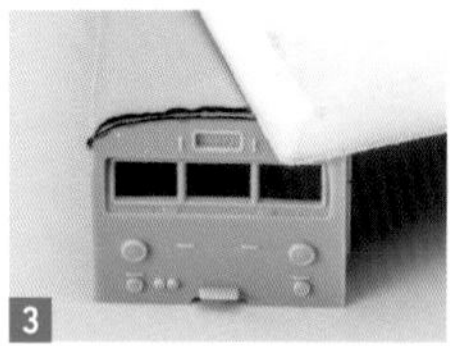

3 ヤスリをかけてきれいに仕上げる。

4 加工して隙間がなくなったボディ。

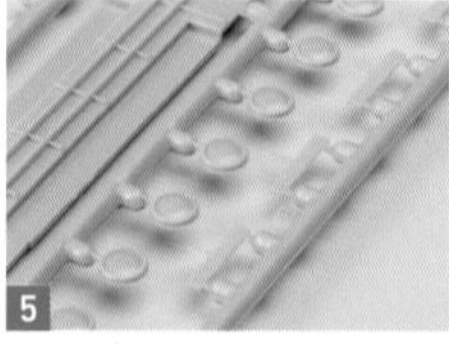

5 ランボードのパーツを確認。

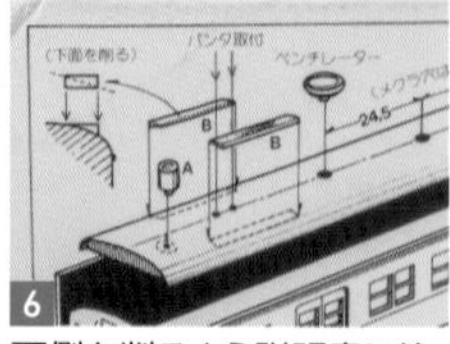

6 下側を削るよう説明書に注意書きがある。

7 両面テープにランボードを貼る。

8 ヤスリで接着面を斜めに削る。

9 水平になるよう屋根に取り付け。

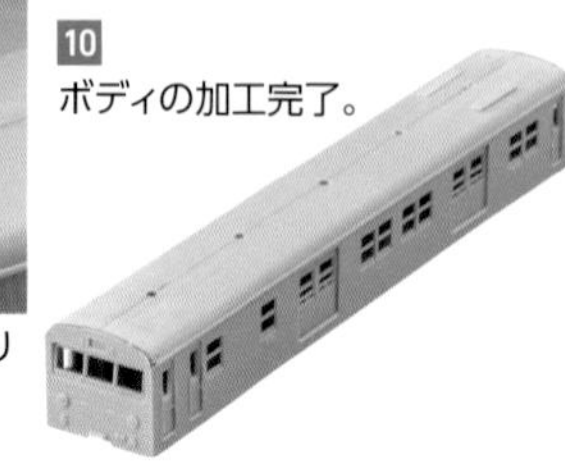

10 ボディの加工完了。

ボディの塗装

ボディにある傷を埋めるために塗装前にサーフェイサーを吹き付ける。塗料はいろいろな角度から吹き付けてムラが出ないよう仕上げる。

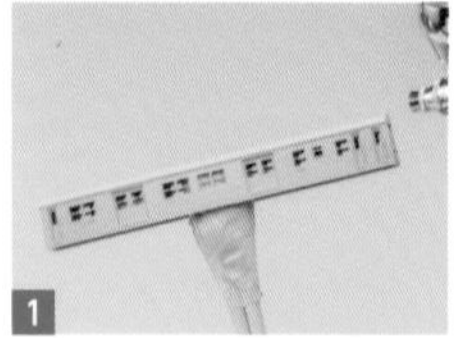

1 サーフェイサーを吹き付ける。

2 ヤスリをかけて表面を均一に仕上げる。

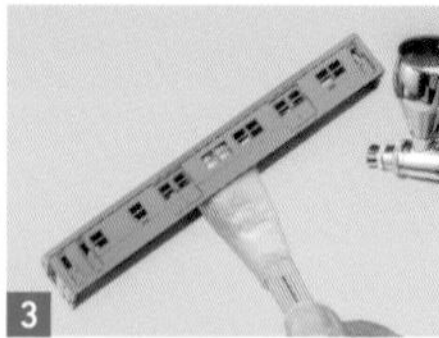

3 緑2号を全体に吹き付ける。

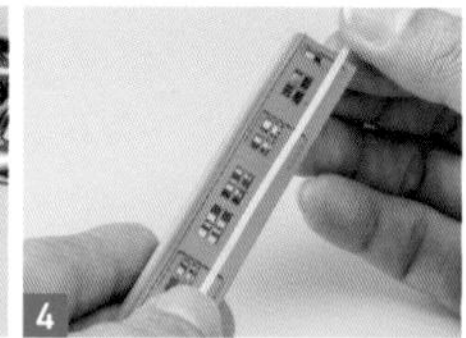

4 乾燥したら下側をマスキングする。

5 段差がある部分は切れ込みを入れて密着させる。

6 丸ポンチで形を切り抜く。

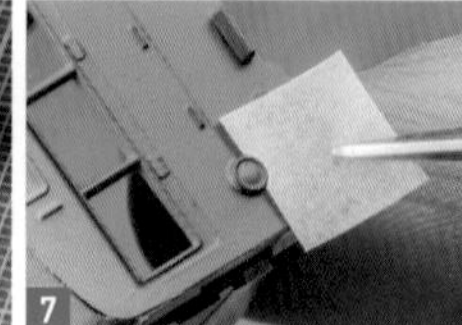

7 抜いた部分をライトの丸に沿わせて貼る。

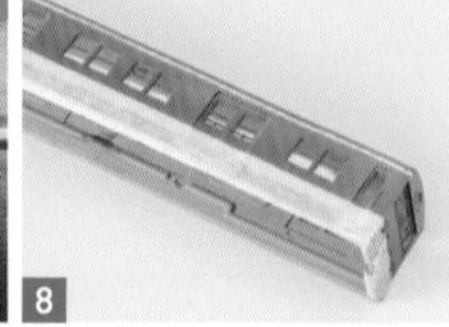

8 隙間ができないようきれいに貼る。

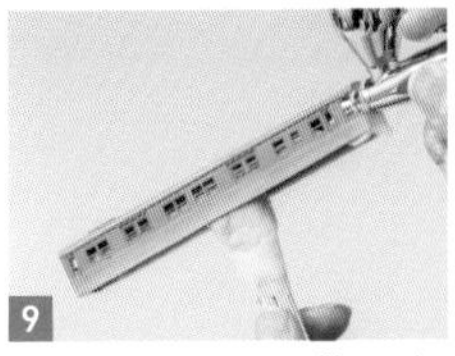
9 黄かん色（オレンジ）を吹き付ける。

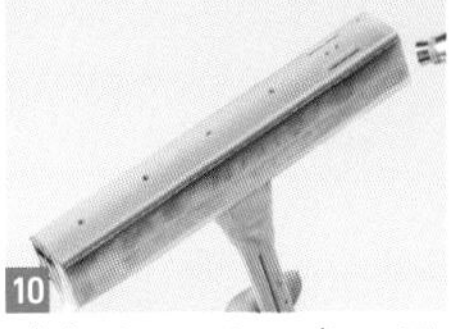
10 ボディをマスキングして屋根をグレーで塗る。

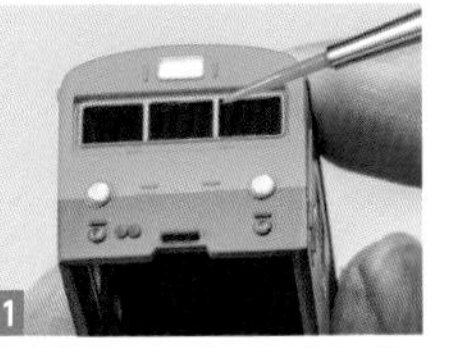
11 Hゴムやヘッドライトに色差しをする。

12 サッシにも色差しをする。

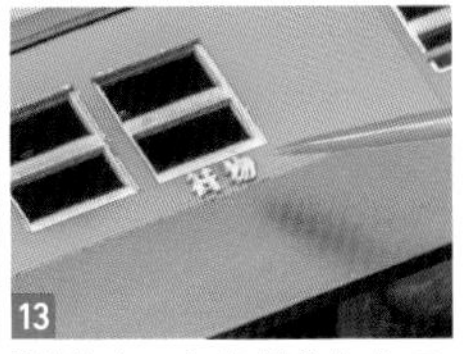
13 「荷物」の文字部分を白で塗る。

point

文字がハッキリ浮き出るように塗装。

抵抗器への色差しで床下をよりリアルに！

床下の組み立て

機器類は塗り残しがないよう全体に塗料を吹き付ける。抵抗器のパーツを別に塗装するとよりリアルになる。

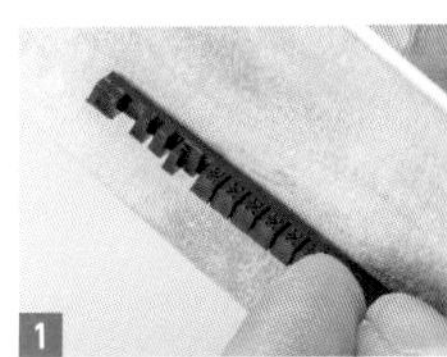
1 接着面をヤスリがけしてザラザラにする。

2 床板に接着剤で取り付け。

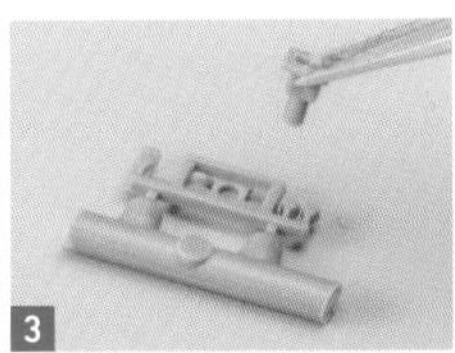
3 胴受けにダミーカプラーを接着。

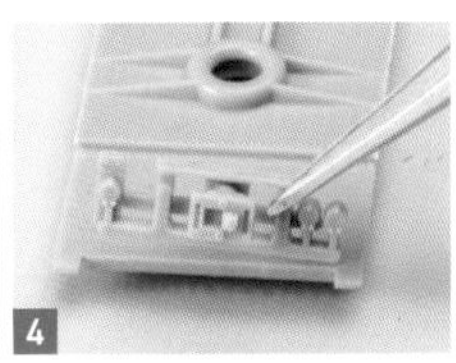
4 床板に胴受けを接着する。

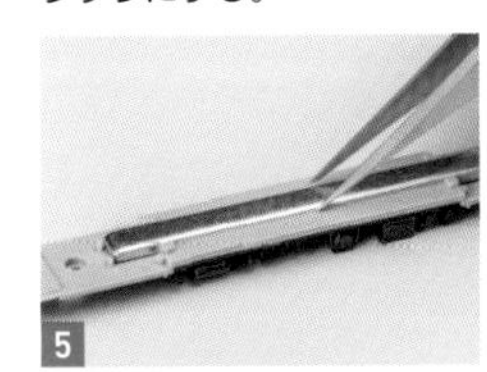
5 ウエイトを床板にのせる。

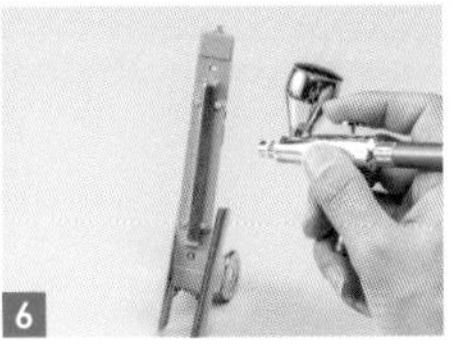
6 ウエイトにプライマーを吹き付け。

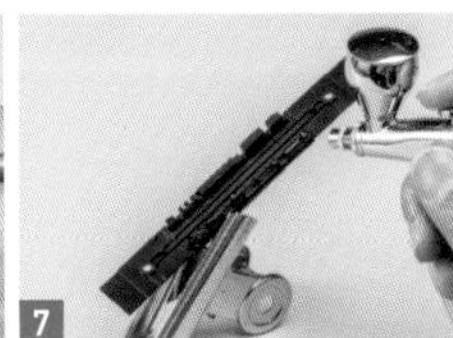
7 床下全体を黒で塗装する。

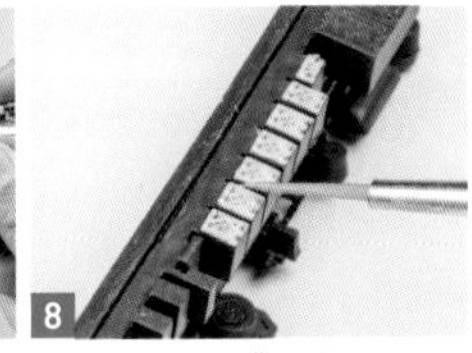
8 抵抗器をねずみ色1号で筆塗り。

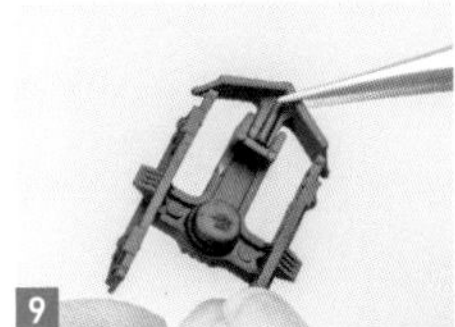
9 台車に別売りのスノープロウを取り付け。

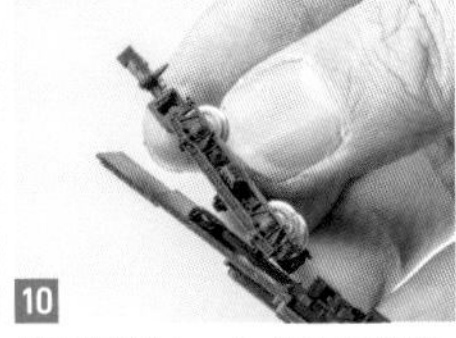
10 加工が終わった台車を取り付け。

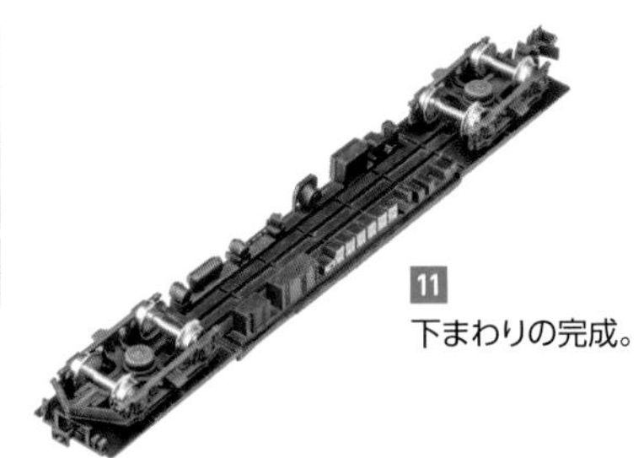
11 下まわりの完成。

ベンチレーターの加工

ゲート跡やバリがあるので
一つひとつていねいに加工する。

1 大きなバリがあるのがわかる。

2 ピンバイスの先に取り付けヤスリでバリを削る。

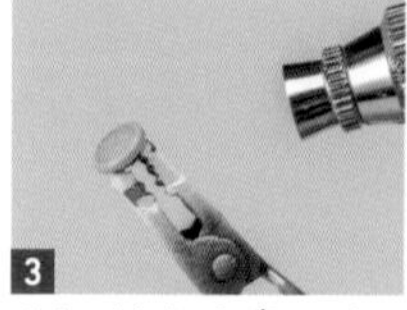
3 まんべんなくグレーを吹きつけで塗装する。

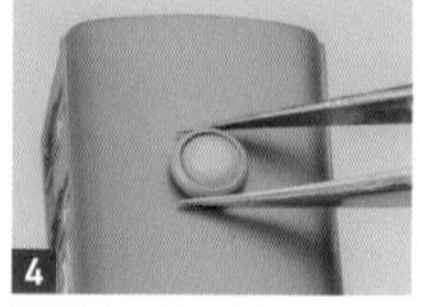
4 屋根上に取り付け。

point

存在感のある別売りパーツのスノープロウ。

最終組み立て

窓セルはゴム系接着剤で取り付け、パンタグラフは差し込み脚を最後につぶして抜けないようにしておくとよい。

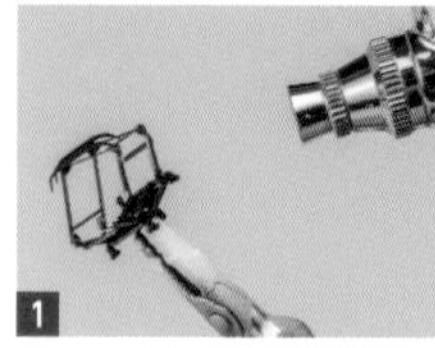
1 パンタグラフを黒で塗装。

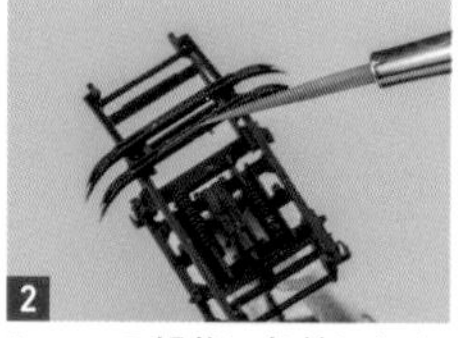
2 シューの部分に色差しをする。

3 屋根の所定の場所に取り付け。

4 窓セルの種類を確認する。

5 指定の場所に接着剤で取り付け。

6 床下をボディに組み付け。

7 車番インレタを貼り付ける。

完成!

Nine
Scale
World
【エヌ】

イカロスMOOK
鉄道模型
Nゲージ
始めるための情報満載
カタログ
2022-2023
買う・
集める・
走らせる
主要模型メーカーの
ニューモデル
一挙掲載!

エヌライフ選書

楽しくはじめよう!

Nゲージ入門ブック

2023年3月15日発行

表紙デザイン　川井由紀
本文デザイン　川井由紀

発行人　山手章弘
編　集　森田政幸／宇山好広
出版営業部　国井耕太郎／右田俊貴／卯都木聖子／吉成 光

発行所　イカロス出版株式会社
〒101-0051
東京都千代田区神田神保町1-105
TEL 03-6837-4661（出版営業部）

印刷所　図書印刷株式会社
Printed in Japan